閱讀新視界・生活新主張

閱讀新視界・生活新主張

閱讀新視界・生活新主張

閱讀新視界・生活新主張

歷史經典一

唐浩明 著

卷(一)

出版者序

「曾國藩」一書分血祭、野焚、黑雨三卷，是一部百餘萬字的長篇歷史小說。作者唐浩明先生研究清史十餘年，蒐集的資料堆滿家中書房，對曾國藩及太平天國歷史的考究尤爲深刻。作者以輕鬆的筆調，用小說的方式撰寫此書，內容符合史實，其中人物的刻畫與描寫，生動而傳神，充分發揮了作者的文學才華與史學功力。

此書以曾國藩爲主軸，寫他治軍行事的用人方針，也寫他的處世哲學與人生觀，以清末衆多的歷史人物如朝中大臣——如胡林翼、左宗棠、李鴻章……等爲軸，交織此一長篇鉅著，書中情節的發展，絲絲入扣，能吸引讀者不斷產生興趣，愛不釋卷。

曾國藩是影響清末歷史的一位重要人物，他創造湘軍，以捍衞孔孟名教爲號召，弭平洪揚。其立身行事，爲後代諸多知名人氏所推崇。但作者也藉書中人物表達了歷年來人們的另一種觀點：曾國藩平定太平天國後，囿於忠君敬上，保全已身之小節，白剪羽翼，裁撤二十萬湘軍，無視滿清腐敗、生靈塗炭、救國救民之大義，辜負億萬百姓期望驅除羶腥，恢復神州之熱望，徒讓史册留下一樁憾事。當然，對歷史的評價，有見仁見智之看法，端視讀者從何種角度去研判！或許當讀者閱覽此書時，對書中之主角會有不同之評論。

此書在大陸出版時，曾造成搶購熱潮，本公司取得台灣版權後，以繁體字印行，也引起熱烈回響。今再版出書，又經細校，期望達到無錯字的地步，或仍有疏漏，尙祈讀者不吝指正。

胡明威

目錄

〈卷一〉

第三章　墨經出山

〈卷二〉

第四章　初辦團練

第五章　衡州練勇

第六章 靖港慘敗

第一章　奔喪遇險

一　湘鄉曾府沉浸在巨大的悲痛中

湘鄉縣第一號鄉紳家，正在大辦喪事。

這人家姓曾，住在縣城以南一百三十里外的荷葉塘都（都，清朝行政區劃名，大致相當於現在的鄉。）荷葉塘位於湘鄉、衡陽、衡山三縣交界之地，崇山環抱，交通閉塞，是個偏僻冷落、荒涼貧窮的地方，但矗立在白楊坪的曾氏府第，卻異常宏偉壯觀：一道兩人高的白色粉牆，嚴嚴實實地圍住了府內百十間樓房；大門口懸掛的金邊藍底「進士第」豎匾，門旁兩個高大威武的石獅，都顯示著主人的特殊地位。往日裏，曾府進進出出的人總是昂首挺胸，白色粉牆裏是一片歡樂的世界，彷佛整個湘鄉縣的幸福和機運都鍾萃於這裏。現在，它卻被一片濃重的悲哀籠罩著，到處是一片素白，似乎一場鋪天蓋地的大雪過早地降臨。

大門口用松枝白花紮起了一座牌樓，以往那四個寫著扁宋體黑字——「曾府」的大紅燈籠，一律換成白絹制的素燈，連那兩只石獅頸脖上也套了白布條。門前大禾坪的旗杆上，掛著長長的招魂幡，被晚風吹著，一會兒慢慢飄上，一會兒輕輕落下。禾坪正中搭起一座高大的碑亭，碑亭裏供奉著一塊朱紅銷金大字牌，上書「戊戌科進士前禮部右堂曾」。碑亭四周，燃起四座金銀山，一團團濃烟夾著火光，將黃白錫紙的灰燼送到空中，然後再飄落在禾坪各處。

天色慢慢黑下來，大門口素燈裏的蠟燭點燃了，院子裏各處也次第亮起燈光。曾府的中心建築黃金堂燈火通明。黃金堂正中是一間大廳，兩邊對稱排著八間廂房。此時，這間大廳正是一個肅穆的靈堂。正面是一塊連天接地的白色幔帳，黑漆棺材擺在幔帳的後邊，只露出一個頭面。幔帳上部一行正楷：「誥封一品曾母江太夫人千古」。中間一個巨大的「奠」字，「奠」字下是身穿一品命服的老太太遺像。只見她端坐在太師椅上，慈眉善目，面帶微笑。幔帳兩邊懸掛著兒女們的輓聯。上首是：「斷杼教兒四十年，是鄉邦秀才，金殿卿貳。」下首是：「扁舟哭母二千里，正鄱陽浸惡，衡岳雲愁。」左右牆壁上掛滿了祭幛。領頭的是一幅加厚黑色哈拉呢，上面貼著四個大字：「懿德永在」。落款：正四品銜長沙知府梅不疑。接下來是長沙府學教授王靜齋送的奶白色杭紡，上面也有四個大字：「風範長存」。再下面是一長條白色貢緞，也用針別著四個大字：「千古母儀」，左下方書寫一行小字：「世侄湘鄉縣正堂朱孫貽跪輓」。緊接縣令輓幛後面，掛的是湘鄉縣四十三個都的團練總領所送的各色綢緞絨呢。遺像正下方是一張條形黑漆木桌，上面擺著香爐、供果。靈堂裏，只見香烟裊裊，不聞一絲聲響。

過一會兒，一位年邁的僧人領著二十三個和尚魚貫進入靈堂。他們先站成兩排，向老太太的遺像合十鞠躬，然後各自分開，緩步進入幔帳，在黑漆棺材的周圍坐下來。只聽見一下沉重的木魚聲響後，二十四個和尚便同時哼了起來。二十四個聲音——清脆的、渾濁的、低沉的、激越的、蒼老的、細嫩的混合在一起，時高時低，時長時短，保持著大體一致。誰也聽不清他們究竟在哼些什麼：既像是背誦經文，又像在唱歌。這時，一大捆一大捆檀香木開始在鐵爐裏燃燒。香烟在黃金堂裡彌漫著，又被擠出屋外，擴散到坪裏，如同春霧似地籠罩四周的一切。整個靈堂變得灰蒙蒙的，只有一些質地較好的淺色綢緞，在附近的燭光照耀下，鬼火般地閃爍著冷幽幽的光。換香火、剪燭頭、焚錢紙、倒茶水的人川流不息，一概渾身縞素，躡手躡脚。靈堂裏充滿著凝重而神秘的氣氛。

靈堂東邊一間廂房裏，有一個六十二、三歲、滿頭白髮的老者，面無表情地頹坐在雕花太師椅上，他便是曾府的老太爺，名麟書，號竹亭。曾家祖籍衡州，清初才遷至湘鄉荷葉塘，一直傳到曾麟書的高祖輩，由於族姓漸多略有資產而被正式承認爲湘鄉人。麟書的父親玉屏少時强悍放蕩，不喜讀書，三十歲後才走入正路，遂發憤讓兒輩讀書。誰知三個兒子在功名場上都不得意。二子鼎尊剛成年便去世，三子驥雲一輩子老童生，長子麟書應童子試十七次，才在四十三歲那年勉强中了個秀才。麟書自知不是讀書的料子，便死了功名心，以教蒙童糊口，並悉心教育兒子們。麟書秉性儒弱，但妻子江氏却精明強幹。江氏比丈夫大五歲，夫妻倆共育有五子四女。家中事無巨細，皆由江氏一手秉斷。江氏把家事料理得有條有理，對丈夫照顧周到，體貼備至。麟書乾脆樂得個百事不探，逍遙自在。他曾經自撰一副對聯，長年掛在書房裏：「有子孫，有田園，家風半耕半讀，但將箕裘承祖澤；無官守，無言責，世事不聞不問，且把艱巨付兒曹。」現在夫人撒手去了，曾麟書似乎失去了靠山。偌大一個家業，今後由誰來掌管呢？這些天來，他無時無刻不在巴望著大兒子回來。曾府有今日，都是因爲有這個在朝廷做侍郎的大爺。喪事還要靠他來主持，今後的家事也要靠他來決斷。

就在曾麟書坐在太師椅上，獨自一人默默思念的時候，一個三十出頭的男子，身著重孝，輕手輕脚地走了進來。這是麟書的次子，名國潢，字澄侯，在族中排行第四，府裏通常稱他四爺。

「爹，夜深了，您老去歇著吧！哥今夜肯定到不了家。」

「江貴已經回來五天了。」老太爺睜開半閉著的雙眼，眼中布滿血絲，「他說在安徽太湖小池驛見到你哥的。江貴在路上只走了十六天，你哥就是比他慢三、四天，這一兩天也要趕回來了。」

「爹，江貴怎好跟哥比！」說話的是次女國蕙。她雙眼紅腫，面孔清瘦，頭上包著一塊又長又大的白布，正在房中一角清理母親留下來的衣服，「江貴沿途用不著停。哥這樣大的官，沿途一千多里，哪個不巴結？這個請吃飯，那個請題字，依我看，再過半個月，哥能到家就是好事了。」

麟書搖搖頭說：「你們都不知你哥的爲人。這種時候，他哪會有心思赴宴題字，莫不是出了什麼意外吧！」麟書無意間說出「意外」二字，不免心頭一驚，湧出一股莫名的恐懼來。

「哥會遇到什麼意外呢？雖說長毛正在打長沙，但沅江、益陽一路還是安寧的呀！江貴不是平安回來了嗎？」國潢沒有體會到父親的心情，反而把「意外」二字認眞地思考了一番。

「你們不知道，江貴對我說過，他這一路上，膽都差點嚇破了。」接話的是個二十七、八歲的青年，他是麟書的第四子，名國荃，字沅甫，在族中排行第九，人稱九爺。他也是一身純白，但却不見有多少戚容。國荃放下手中帳本，說：「江貴說，他從益陽回湘鄉的途中，遇到過兩起裹紅包頭布，拿著明晃晃大刀的長毛，嚇得他兩腿發抖，急忙躲到草堆裏，直到長毛走過兩三里後才敢出來。」

「團勇呢？團勇如何不把那些長毛抓起來？」國潢是荷葉塘都的團總，他對團勇的力量估計很高。

「四哥，益陽還沒有著團練哩！」搭腔的是麟書的第三子國華，族中排第六。這位六爺已出撫給叔父爲子，他雖然也披麻帶孝，但却蹺起二郎腿在細細地品茶，與其說是個孝子，不如說是個茶客。他略帶鄙夷地說，「四哥總是團勇、團勇的，眞正來了長毛，你那幾個團勇能起什麼作用？省城裏提督、總兵帶的那些吃皇糧的正經綠營都打不贏，長毛是好對付的？我看長沙早晚會被長毛占領。」

曾府少爺們的這幾段對話，把掛名爲湘鄉縣團練總領的老太爺嚇壞了。他離開太師椅，在房子裏踱著方步，默默地禱告：「求老天保祐，保祐我的大兒子早日平安歸來。」老太爺喃喃自語多時，才在大女兒國蘭的攙扶下，心事重重地走進臥室。

二　波濤洶湧的洞庭湖中，楊載福隻身救排

就在曾麟書默默禱告的第二天午後，岳陽樓下停泊了一條從城陵磯划過來的客船，船老大對艙裏坐著的一主一僕說：「客官，船到了岳州城。今天就停在這裏，明天一早開船。現在天色還早，客官要不要上岸去散散心？」

艙中那位主人打扮的點點頭，隨即走出艙外，踏過跳板上岸，僕人在後面緊跟著。走在前面的主人約莫四十一、二歲年紀，中等身材，寬肩厚背，戴一頂黑紗處士巾，前額很寬，上面有幾道深刻的皺紋，臉瘦長，粗粗的掃把眉下是兩只長挑挑的三角眼，明亮的榛色雙眸中射出兩道銳利、陰冷的光芒，鼻直略扁，兩翼法令長而深，口闊唇薄，一口長長的鬍鬚，濃密而稍呈黃色，被湖風吹著，在胸前飄拂。他身著一件玄色布長袍，腰繫一根麻繩，脚穿粗布白襪，上套一雙簇新的多耳麻鞋，以緩慢穩重的步履，沿著石磴拾級而上。此人正是曾麟書焦急盼歸的長子，早些天尚官居禮部右侍郎，兼署吏部左侍郎曾國藩。一個多月前，曾國藩奉旨離京赴贛，充任江西鄉試正主考官。行抵安徽太湖小池驛，突然接到江貴送來的母死凶信，便立即改道回家，火速由水路經江西到湖北，昨天又由湖北進入湖南。跟在後面的僕人名喚王荊七，近三十歲，人生得機靈精神。

「大人。」王荊七輕輕地喊一聲。

「又忘記了！」曾國藩威嚴地打斷他的話，「我現在已不是侍郎，而是回籍守制的平民，懂嗎？」

「是！」王荊七一陣惶恐，連忙改口，「大爺，前面就是岳陽樓，你老上去吃點東西吧！這些天來，你老沒有好好吃過一餐飯。」

曾國藩沒有作聲，只是輕輕地點一下頭。自從見到江貴後，曾國藩就處於極度悲痛之中。昨天船進洞庭湖後，心情才開始平靜下來。但當他抬頭凝望眼前這號稱「天下樓」的岳陽樓時，不禁又雙眉緊皺起來。前次遊歷，是在道光十九年初冬。那時的岳陽樓，是何等的雄偉壯觀，氣概不凡！登樓遊覽，酒廳裏高掛的是范仲淹傳誦千古的《岳陽樓記》，樓下是烟波浩淼的八百里洞庭。散館進京的二十九歲翰林曾國藩，反復吟誦著「先天下之憂而憂，後天下之樂而樂」的警句，豪情滿懷，壯志凌雲：此生定要以范文正公為榜樣，幹一番轟轟烈烈、名垂青史的大事業！而眼下的岳陽樓油漆剝落，檐角生草，黯淡無光，人客稀少，全沒有昔日那種繁華興旺的景象。曾國藩感到奇怪。他心裏想，或許是今日的心情大異於先前了吧！

曾國藩上了二樓，揀一個靠近湖面的乾淨座位坐下，荊七坐在對面。剛落坐，酒保便滿面堆笑地過來，一邊擦著桌面，一邊客氣地問：「客官，要點什麼？」不等回答，又接著說，「小樓有新宰的嫩黃牛，才出湖的活鯉魚，池子裏養著君山的金色，螺山的王八，還有極烈極香的『呂仙醉』。李太白當年喝了此酒，在小樓題詩稱讚：『巴陵無限好，醉刹洞庭秋。』……」酒保正滔滔不絕地說得高興，荊七不耐煩地擺擺手：「你在嚼些什麼舌頭！看看這個。」說罷，揚起繫在腰上的麻繩。

酒保一看，立即收起笑容：「小的不知，得罪，得罪！」隨即又說，「客官不吃葷的，小樓也有好素菜：衡山的豆干，常德的捆鴨，湘西的玉蘭片，寶慶的金針，古丈的銀耳，衡州的湘蓮，九嶷山的蘑菇。」

這些名菜，曾國藩聽了很覺舒暢。寓居北京十多年，常常想起家鄉的土產。他對酒保說：「揀鮮嫩的炒四盤來，再打一斤水酒。」

「好啦！」酒保高聲答應，興沖沖地走下樓去。很快便端上四大盤，一盤油燜香葱白豆腐，一盤紅椒炒玉蘭片，一盤茭瓜絲加捆雞條，一盤新上市的娃娃菜，外加金針木耳蘑菇湯。紅白青翠、飄香曠辣地擺在桌上。曾國藩喝著水酒，就著素菜，吃得很是香甜。喝完酒，酒保又端上來兩碗晶瑩的大米飯，曾國藩吃得味道十足。不僅是這些日子，他彷彿覺得自從離開湖南以來，就再也沒有吃過這麼好的飯菜了。「還是家鄉好哇！」曾國藩放下筷子，感慨地說。剛放下碗，酒保又殷勤地端來兩碗熱氣騰騰的茶，說：「客官看來是遠道而來，不瞞二位，這茶是用道地的君山毛尖泡的。」見曾國藩微笑地望著自己，酒保心中得意，「客官有所不知，君山上有五棵三百年的老茶樹。當中一棵，是給皇上的貢茶，左右兩邊兩棵是撫台大人和知府老爺送給親戚朋友的禮品。左邊第二棵是茶場老板的私用，右邊第二棵則是小樓世代包下的。不是小的吹牛，這碗茶在京城，怕是出一百文也買不到。小樓規矩，每位客官用完飯後，奉送一碗道地的君山茶。」酒保邊說邊利索地收拾碗筷，擦乾淨桌面，下樓去了。

曾國藩呷了一口茶，雖比不上京師買的上等毛尖，但也確實使人心脾清爽。他沒有想到，破敗的岳陽樓上却有這樣好的飯菜和能說會道的酒保，心情舒暢多了。他端起茶碗，向窗外的湖面眺望。陽光照在湖水上，泛起點點金光。遠處，一片片白帆在游弋。極目處，有一團淡淡的黑影。曾國藩知道，那就是君山。近處，沿湖岸停泊著一個接一個木排。這些木材大半出自湖南山區，紮成排後順著湘江飄流，越過洞庭湖，進入長江。再遠飄武昌、江宁、上海等地。放排的人叫做排客。排客們終年在水面飄浮，把家也安排上。排上用杉樹皮蓋成小棚子，家眷就住在裏面。曾國藩正頗有興趣地看著樓下幾個排上人家的生活，不料湖面陡然起風了，滿天烏雲翻滾，像要下雨的樣子。剛才還是明鏡般平靜的湖面，頓時波浪翻捲。風越刮越大，波浪也越捲越高，湖面上的木排隨著波浪在上下起伏，幾個離岸邊不遠的木排在迅速向湖邊靠攏。大雨嘩嘩而下，雨急風猛，溫順的洞庭湖霎時變成了一條狂暴的惡龍。曾國藩坐在樓上，渾身感到涼颼颼地。他有點擔心，這座千年古樓，會不會被這場暴風雨擊垮？

正在胡思亂想之際，他看到離岸邊約百來丈遠的湖面上，一個小排被風浪打得左右搖晃，却一步也不能前進。一個漢子死死地扶著排後舵把，另一個漢子急得這邊跑到那邊。猛地一個大浪打來，木排上低矮的杉樹皮屋垮了，一個木箱被水沖到湖裡，兩邊跑的漢子縱身跳到水中去抓木箱。木排上一個十來歲的小女孩嚇得蹲在排上，緊緊地抓著一根纜繩。一個四十餘歲的婦人急得在排上前後亂竄。又一個大浪打過來，小女孩被捲進了湖中。「不得了！」曾國藩喊了一聲，放下茶碗，猛地站起。荊七也趕緊站起，緊張地倚著窗口觀望。正在這危急時刻，湖邊木排上跳下一個年輕人，冒雨迎浪向湖中游去。只見那青年一個猛子扎入水底，剛好到排邊又露出頭來。他輕捷地游到手脚亂抓的小女孩身邊，把她高高托出水面，游到排邊。曾國藩到這時才舒了一口氣。那青年上了木排，用手指指點點，排上的漢子拿了一大捆粗繩。青年接過繩子，走到排頭，將繩子一頭繫在排上，另一頭繫在自己腰上，復跳入湖中，用自己一人之力在前面水中拉排。那木排居然跟著年輕人前進起來，湖邊觀看的人一齊喝采。曾國藩被眼前這一幕驚呆了。木排緩緩地向岸邊移動，平安地來到岳陽樓脚下。排上那兩人上得岸來，扶上年輕人，納頭便拜。

曾國藩對那個年輕人見義勇為的品德和罕見的神力感慨不已，對荊七說：「你去請那位壯士來，我要見見他。」

一會兒，荊七帶上一個人來。曾國藩見來人身穿一套粗布衣褲，頭上包著一塊黑布，四方臉，粗黑的眉毛，大而有神的眼睛，鼻樑端正，兩頰豐滿，心中甚是高興。他站起來，伸手指著對面一方座位說：「壯士請坐！」

「在下與老爺素不相識，豈敢冒昧。」

「壯士剛才救人、救排的舉動，乃英雄豪傑的作爲，令鄙人欽佩不已。壯士不必客氣，坐下好敍話。」

曾國藩待年輕人坐下後，又吩咐荊七：「叫酒保速來幾盤葷菜，外加一斤『呂仙醉』。再上一盤素菜，半斤水酒。」

須臾酒保端上酒菜來。曾國藩叫荊七滿滿地給客人倒一杯酒，然後自己舉起酒杯來，說：「鄙人因重孝在身，不能用烈酒葷腥，借這水酒素菜，聊陪壯士喝兩杯。」

年輕人並不多謙讓，將杯中酒一飲而盡。

「好！壯士眞豪俠之士。」曾國藩又叫荊七篩酒，問：「請問壯士尊姓大名，何處人氏？青春幾何？」

「在下姓楊名載福，字厚庵，長沙縣人，今年三十歲。」

曾國藩頻頻頷首，不待楊載福發問，便自報了姓名，說：「鄙人在武昌一官員家教公子讀書，上月老母不幸去世，現回湘鄉爲母親辦理後事。」

「原來是位飽學先生，載福失敬了。」楊載福說著站起來重施一禮。

曾國藩連忙叫他坐下，又勸他喝了一杯酒。

「楊壯士捨己救人，品德高尚，且氣力之大，鄙人從未見過第二人，壯士能賞光應邀，鄙人很是感激。請問壯士，你這般神力是如何練出來的?」

「承老先生誇獎，實不敢當。」楊載福放下杯筷，恭敬地答道，「載福生在放排人家。父親經營一輩子排業，只因生性仗義疏財，家中並未落下積蓄。載福小時，家父曾請了一位先生教我讀書識字。怎奈載福不上進，所愛的是跑馬射箭、使槍弄棒。家父想到排上常年要請武師保鏢，不如乾脆讓我棄文就武，於是請來南北武林高手，教我武功。我在師傅們的指教下，略有長進，十八歲便開始隨父闖蕩江湖，見過一些世面，也會過不少强盜英雄。前年家父棄世，便自己單獨放起排來。」

曾國藩一邊聽楊載福講話，一邊細細地端詳他。見他雙眼烏黑發亮，正應相書上所言：「黑如點漆、灼然有光者，富貴之相」。左眉上方一顆大痣，又應著相書上所言「主中年後富貴。」對於相書，曾國藩既相信又不全信。他喜歡相人。一方面將別人的長相去套相書上的話，另一方面，他又看這人的精神、氣色、談吐舉止，尤重其人的爲人行事。將兩方面結合起來，去判斷人之吉凶禍福。眼前這位楊載福，憑著他多年的閱歷和相人的經驗，兩方面都預示前程遠大，只可惜埋沒在芸芸衆生之中，得不到出人頭地的機會。應當指點他。曾國藩待楊載福說完後，問：「目今兵戈已起，國家正要的是壯士這等人才。不知壯士肯捨得排業，去投軍嗎？」

楊載福答：「家父從小就跟載福說過：學成文武藝，貨與帝王家。我也常想，倘若這點能耐能被在位者賞識，爲國家效力，今後求得一官半職，也能告慰先父在天之靈了。」

「好！有志氣！」曾國藩高興地說，「鄙人與湖南巡撫有一面之交，我爲你寫封荐書，你可願去長沙投奔駱大人？」

「願意！」楊載福站起來，爽快地回答，「盡管長毛正在圍攻長沙，別人都說長毛厲害，但載福不相信，我要在炮火之中進長沙。」

荊七從酒保處借來紙筆，曾國藩寫了幾句話，用信封封好，交給楊載福。楊載福鄭重地接過信，藏在貼身衣袋裏，然後向曾國藩倒身一拜：「老先生在上，受載福一拜。今生若有個出頭之日，定然不忘老先生的大恩大德。載福這就到排上去料理一番，三、五天之內即赴長沙投奔駱大人。」

說罷昂首下樓而去。曾國藩即命荊七與酒保會帳，然後也離開了岳陽樓。

三　擺棋攤子的康福

曾國藩從岳陽樓上下來，想起無意間結識了一位本事出衆的江湖好漢，又給他指引出路，心中甚是快樂，一個多月來母喪的悲戚暫時淡忘了一些。看看離天黑尚有個把時辰，便信步來到岳州城的鬧市區。只見三街六市，人來人往，百行百業倒也齊全。十字路口一家當鋪門前圍著一堆人，地上攤開一張紙，紙上畫著橫豎交叉的格子，上面布著幾顆黑白棋子。原來是街頭對弈！曾國藩年輕時有兩個嗜好：一個？吸水烟，一個是下圍棋。後來，水烟戒了，對圍棋的興趣却始終不減。只是在公事忙時，盡量克制著少下。自從六月份離京以來，兩個多月沒有下圍棋了，今日一見，如同故友重逢，饒有興趣地駐足觀看。

棋局上首坐的那人，在二十三、四歲左右，臉色蒼白，滿臉鬍鬚猶如一叢茅草，衣褲皺皺巴巴的，像有半年未換過了。他的脚邊用石塊壓著一張紙，上書：「康福殘局。勝一局收錢十文，敗一局送錢二十文。」原來是個擺棋攤子的。曾國藩正想走開，卻想起看了這樣久，卻一直不見二人動過一子，感到奇怪。再仔細看一眼，只見康福執黑，執白的人一枚子舉在半空多時，不能將它定在何處。曾國藩替那人著想。他越想越驚異，這黑子居然無從攻破！他開始對這位擺棋攤子的康福另眼相看了：棋藝不錯，看來自己也不是他的對手。正思忖間，人圈外有人在大喊大叫：「誰敢在我的地盤上逞威風，趕緊識相點滾開！」說著便分開衆人，衝了進來，後面跟著三個惡狠狠的打手。康福抬起頭來，望了來人一眼，說：「相公，你不認識了？前天在橋邊你還跟我對弈了一局。」說罷站起來。圍觀的人見勢頭不對，都紛紛散開。

曾國藩這時才看見康福的布鞋頭上縫了兩塊白布，這是沅江、益陽一帶的風俗：爲死去父母服喪。

「誰跟你下過棋？不要胡扯！」闖進來的人一臉凶惡，「你也不看看這是什麼地方！你在我的地盤上做了半天買賣，居然可以不經過我的允許，好大的膽子！」

「好，好！既然相公不允許，我這就走，這就走。」康福彎下腰，收拾棋子，準備走。

「好輕鬆！說走就走？」兇漢子捲起袖子，擋住康福。

「不走怎的？你說！」康福並不示弱。

「拿出一百兩銀子來，我放你走！」

「豈有此理！我今天一天在這裏還沒有賺到半兩銀子。你不是存心訛人嗎？」康福小心地將棋子裝進布袋，從容地說。

「沒有銀子，就拿棋子作抵押。」兇漢一揮手，「弟兄們，給我搶棋子！」

打手們一哄而上。康福左手護著布袋，只用右手對付他們。就這一隻手，四條漢子也攏不了邊。曾國藩暗暗稱奇，心想：「又是一條好漢！」一個打手火了，順手拿起旁邊一條板凳，就要向康福頭上砸來。正在這時，人圈外猛地響起一聲雷鳴：「住手，你們這一羣混蛋！」

喊聲剛落，人便來到圈內，一手奪過板凳。那人圓睜豹眼，指著兇臉漢子罵道：「好個不知廉恥的傢伙，欺侮外鄉人，你還算得個男子漢嗎？」

那兇臉漢子立時軟下來，陪著笑臉說：「師傅，這小子在我的鋪子前面擺攤子，也不跟我打個招呼，是他先欺侮我呀！」

「人家一個人，你三、四個，你先動手，到底是他欺侮你，還是你欺侮他？」來人完全是一副長輩訓斥晚輩的口氣。

「今天看在師傅的分上，饒了你。你滾吧！」那漢子對他的師傅拱拱手，帶著其他三人，悻悻鑽出人圈。康福向來人行了一禮，說聲「多謝」，也便轉背走了，走出幾步遠後他又回頭望了一眼。

曾國藩將這一切都看在眼裏，默不作聲，這時才喊了聲：「小岑兄，久違了！」那人掉過臉來，興奮異常地答道：「哎呀！原來是滌生兄！你怎麼會在這裏？眞正是巧遇。」說著，連忙走過來，緊緊拉住曾國藩的手，一眼看見他腰間的麻繩，驚訝地問：「這是怎麼回事？」

「家母六月十二日去世了。」曾國藩輕輕地回答。

「伯母仙逝兩個多月了，我却一點都不知道，眞對不起！」小岑嘆息著。

「這裏不是說話處，我們找個酒樓去喝兩杯吧！」

「好！就到前面酒店去吧！」

小岑是歐陽兆熊的表字。歐陽兆熊湘潭人，比曾國藩大四歲，家資饒富，爲人最是仗義疏財。道光二十年，是曾國藩散館進京的第一年，家眷尙未到，寓居果子巷萬順客棧。一日，他突然大口大口咯血，兩頰燒得通紅，不久便昏迷不省人事。恰好歐陽兆熊那年進京會試，與他同住一店。兆熊精於醫道，爲之盡心醫治。有十天之久，曾國藩水米不沾牙，兆熊整整在他身邊坐了十天十夜。曾國藩那時手頭拮据，病中所有費用，全由兆熊承擔。病好，曾國藩問他花了多少錢，他始終不說。從那以後，曾國藩視之如同親兄長。怎奈官運不濟，四次會試均不酬，於是打消了作官的念頭。從小拜武林高手爲師，有一手好功夫，家中又有錢，便常年雲遊四海，廣結天下朋友。兩人一直書信密切。後來曾國藩官位日隆，覺得彼此地位相差懸殊，回信漸疏；曾國藩也聽說所交太濫，三教九流，無所不有，也怕受牽連，信也寫得少了。慢慢地，兩人便失去了聯繫。今日在岳州城邂逅，二人都感到意外地高興。

「小岑兄，你這次來岳州，是路過，還是長住？」喝了一口酒後，曾國藩問。

「三個月前，我應一個朋友之約，到大梁去遊覽。前些日子聽說長毛打到了湖南，我便急著離開大梁回家。在漢陽盤桓了三天，大前天到了岳州，準備住幾天，看看吳南屏，再回湘潭。」

「南屏還在岳州？不是說到瀏陽去作教諭去了？」南屏是吳敏樹的字，當時頗有名望的古文家，曾國藩的老朋友。他每次上京應試，都住在曾家。

「上個月回來的。他的性格，受不得半點約束，教諭還能當得久？」歐陽說著，猛地將杯中的酒一口喝完。荊七連忙拿起酒壺給他斟滿。

「還是那樣放任不羈嗎？我以爲歲月總要打磨些他的稜角哩！」

「打磨？這一世怕改不了啦！酒照舊無限制地喝，牢騷照緊無窮盡地發。」

「南屏是棟樑之材，可惜時運不濟，這一生怕只能做個鄭板橋了。」曾國藩不無惋惜地說。

「正是這話，南屏現在已是岳州四怪之一了。」

「哪四怪？說出來也讓我長長見聞。」十多年未回鄉了，一踏入湖南，曾國藩便想一下子什麼都知道。

「這岳州人也會聯扯，竟把南屏跟那些個下作人扯起來了。道是：怪妓何東姑，怪丐李癩子，怪僧空矮子，怪才吳舉人。更怪的是，南屏居然不惱。」歐陽兆熊說完苦笑一聲，曾國藩也跟著搖頭苦笑。他想起前年吳南屏進京，帶來一本詩集，很使自己傾倒。這樣的奇才，竟然被人目為妓丐僧一流的人，怎不令人浩嘆！若不是重孝在身，明天眞應該去看看他。二人相對無語。沉默片刻後，曾國藩換了一個話題：「河南情形如何？那裏也還安寧嗎？」自從道光二十三年出任過四川主考官外，將近十年未出京城一步了。這次經直隸到山東到安徽，見到的都是一片亂象，比在京城裏聽到的嚴重得多。京中都說柏貴治理河南政績顯著，曾國藩想從兆熊這裏打聽些實情。

「河南的事提不得。」兆熊說，「官場中的腐敗並不亞於湖南。現在正是秋收季節，但從開封到臨潁一帶飢民絡繹不絕，道旁時可見餓殍，令人目不忍睹。」

「河南也是這樣？京中盛傳柏貴治豫有方哩！竟跟山東、安徽差不多。」深深的憂慮從曾國藩瘦長的臉上顯出，他無心喝酒了。

「怪不得長毛造反。官逼民反，自古皆然。」兆熊的話中分明帶著滿腔激憤。

「各省吏治，弊病均甚多，皇上早已慮及，實爲用人不當所致，朝廷自會嚴加整飭。長毛造反，罪大惡極，那是天地所不容的。」曾國藩對兆熊的偏激不能贊同。兆熊也意識到剛才失言，便不爭辯，喝了幾口酒後，說：「長毛圍長沙城好些天了，想必湘潭已受蹂躪。我有意結交些江湖朋友，請他們到我家鄉去訓練團練，保境民安。」

「小岑兄識見高遠。」曾國藩知他已預見亂世將到，早作防範，的確比一般人高出一籌。

「我和朋友都以爲，保衞鄉里要靠自己，依靠官府是不中用的。危急時候，靠得住的只有荊軻、聶政那樣慷慨捐軀的熱血壯士。不過，識人不易呀！昨日一個朋友給我引荐一個人，我見他還像個樣子，便收他做了個徒弟，這人便是剛才那小子。沒想到竟是這樣一個欺人覇物的混帳東西！」

二人邊談邊喝酒，看看太陽快要落山了，曾國藩想到明天一早船就開，晚上要在船上過夜，便對兆熊說：「小岑兄，今日就此告別。我這次回湘鄉，至少有三年住，今後見面的機會還多，過兩個月我到湘潭來會你。南屏那裏，這次也不去了，下次再專程拜訪。」兆熊爲人最是爽快，也不挽留，說：「不勞你來湘潭，待我回家料理幾天後，便到荷葉塘來祭奠伯母大人。」

二人出了酒店，拱拱手分別了。

返回湖邊的路上，曾國藩心想：自己過去結交的多屬文人，現在干戈起，大亂將至，要像小岑那樣，多交一些武功高强的朋友才是。想到這裏，他慶幸在岳陽樓上認識了楊載福。又想起擺圍棋攤子的康福，棋下得好，武功也不錯，他一隻手，居然使四個大漢不能近身，看來是個淪落風塵的英雄。只可惜不知他下榻何處，不然眞要去見見他。邊走邊想，很快到了湖邊。船老大客氣地把曾國藩主僕二人接進艙裏，又端上兩碗香茶。剛才喝了不少酒，正口渴得很，曾國藩端起碗，大口喝了起來。一邊望著早已風平浪靜的湖水，想到今夜可以看到范仲淹筆下「靜影沉璧，漁歌互答」的洞庭夜景，心中甚覺舒暢。他告訴船老大，長沙被長毛圍住了，明天改道到沅江。正說著閑話，只聽見艙外有人問：「船老大，請問你的船明早開哪裏？」

船老大趕緊出艙，說：「明早開往沅江。」

「太好了！我搭你的船到沅江去，船費照付。」

「客官，船費付不付倒不碍事，只是我的船是另一位大爺包的。」

「那就請你代我求求那位大爺。」

荊七走出艙，說：「不搭不搭，你找別的船吧！」

「大哥，幫幫忙吧，我問了許多船，他們都不去沅江。」

曾國藩在艙裏聽到說話聲，似覺耳熟，便走出來。這一見，眞把他給樂了。原來問話的人，正是擺棋攤子的康福。康福一見也驚了：想不到這位大爺竟是幫他解圍那人的朋友！曾國藩的三角眼裏射出喜悅的光芒，連忙招呼：「這位兄弟，快進艙來，我們一道到沅江去！」

待康福進了艙，坐下，曾國藩說：「我正想找你，你却來了，眞是巧事！下午我見你棋攤上寫著『康福殘局』，想必足下是就是康福了。」

「大爺說得對，在下正是康福。今天在街上，多蒙大爺的朋友出面解圍，不然就麻煩了。」

船老大見他們很熟，又端來一碗香茶。曾國藩問：「兄弟，聽你的口音，像是沅江、益陽一帶的人，你這是回家去嗎？」

「在下是沅江縣下河橋人。本想在岳州再待些時候，今下午遇到那幾個無賴攪了我的場子，又不願意和他們再糾纏，便臨時決定立刻回沅江。眞是大幸，正好遇見大爺。請問大爺尊姓大名，何處人氏？」

「鄙人名叫曾國藩，字滌生，湘鄉人。」

康福一聽，驚疑片刻，連忙跪下拜道：「你老就是湘鄉曾大人?!小人有眼不識泰山，剛才多多冒犯。」

曾國藩沒料到一提起名字，康福便什麼都知道，早知如此，還不如不告訴他眞名。忙叫荊七將他扶起，和氣地問：「兄弟，請問台甫?」

「回大人的話，小人賤字價人。」康福恭恭敬敬地回答。

曾國藩見他這樣，趕忙說：「我現在回籍奔母喪，已向朝廷奏明開缺一切職務，不再是侍郎，而是普通百姓，你不要再叫我大人，也不要過分講究禮節，你就叫我滌生吧!或感不便，就叫我一聲大爺也行。」

聽到這幾句話，康福心裏很是感動，眼下這位被鄉民神化了的侍郎大人，竟然是如此的平易、謙和。喝了幾口茶後，曾國藩說：「我素日也喜歡下圍棋，今日見足下棋藝，自愧不如。」

「大爺快不要提這事了。」康福顯出一副慚愧的神情，「小人這幾天萬般無奈，才在街頭擺攤賣藝，實在有辱棋道，也有辱康氏家風。」

「也不能這樣說。足下這是擺下一個擂台，以會天下棋友，怎能說『有辱』二字。」自從看出康福的棋藝武功以後，曾國藩對他擺攤賣藝之事也改變了看法。康福苦笑一下說：「圍棋乃堯帝親手所制，當初制棋目的，原是爲了陶冶太子丹朱性情，使之去鬒鬆慢泛而走入正道，故史書上有『堯造圍棋，丹朱善弈』的話。幾千年來，圍棋爲薰陶我炎黃子孫雅潔舒閑之性情，發揮了益智、養性、娛樂之功用，歷朝歷代，凡是善弈之人，莫不是情趣高潔、才智超俗之君子，幾曾見圍棋與金錢混在一起的。」

曾國藩聽了康福這番議論，頻頻點頭稱是。康福繼續說下去：「但康福不幸，窮困蹇滯，逼得無路可走，只得靠賣殘局糊口，說來眞羞愧。」

「足下有何難處，能否對我敍說一二。」曾國藩察覺到康福胸中似有難言之隱。

「只要大爺想聽，康福願向大爺傾吐。」初見面時的惶恐已經消除，能與曾大人同坐一船，眞是三生有幸，且眼前這位紅得發紫的大人物又是這等平和，康福恨不得將心中事全部向他傾吐，「小人命苦，十五歲那年父親去世，母親帶著我們兄弟二人守著父親留下來的幾畝薄田艱難度日。前年，母親因積勞落下重病，我跟弟弟商量，就是賣田賣屋，也要給母親治病。背著母親，我們賣盡了祖遺田產。錢用完了，母親也閉眼了。無法，兄弟倆又借錢爲母親辦了喪事。爲還債，我留下弟弟在家，獨自一人出門做生意。好容易賺了五十兩銀子，誰知在岳州被賊人全部盜走，當時我簡直氣昏了。不要說店錢、回家旅費沒有，連吃飯的錢都沒有了。身上一無所有，唯一的就是一盒圍棋。」

說著，康福從包袱裏將圍棋取出，雙手遞給曾國藩。曾國藩喜下圍棋，對棋子也很有興趣，家中收藏著十餘副名貴棋子。他打開包布，露出一個紫紅色檀香木盒，一股淡淡的清香從木盒裏透出。盒上面用銀釘釘出一朵朵隨風飄游的白雲，雲中奔騰著一條金光四射、張牙舞爪的矮龍。曾國藩微微一驚，暗想：「這不大像民間用物。」他小心打開盒蓋，裏面分成兩隔，一邊放著黑子，一邊放著白子。黑子烏黑發亮，猶如嬰兒眼中的眸子；白色潔白晶瑩，就像夜空中的明星。又是一驚。自思所見圍棋不下千副，宮中的御棋也見過不少，還從沒有見到這樣質地精美純淨的棋子。他隨手拿出一枚黑子，覺得它比一般棋子都壓手。時正初秋，天氣還熱，但這棋子却涼颼颼的，拿在手裏很舒適。他將棋子輕輕叩在桌上，立刻發出鏗鏘的聲響，十分悅耳動聽。曾國藩又拿出一枚白子，感覺一樣，又一連拿出十數枚，枚枚如此，心中甚是驚奇，嘴裏連聲讚道：「好子！好子！」抬起頭來望著康福說：「足下方才說到康氏家風，此棋莫非是祖上所傳？」

「正是。」康福眼望著棋子說，「這副棋子，是在下先人傳下的，到我們兄弟手裏，已經是第八代了。正因爲是祖上所傳，康福今天才同那幾個無賴搏鬥。」

曾國藩點點頭，說：「我看那幾個人，說你占了他的地盤是假，借此勒索你這副棋子是眞。」

「大爺說得一點不錯。」康福隨手拿出一枚黑子在手中摩挲，「他們要的就是我的棋子。兩天前，那個爲頭的傢伙在橋頭與我對弈了兩盤。當時，我就看出那人生的是兩只貪婪的眼睛。他識貨，知道這棋子非比一般，正經得不到，便糾合人來搶。不是我誇口，我是讓他幾分，眞的要打，那幾個人不是我的對手。」康福平淡而緩慢地說著，並無半點驚人之態。

憑著曾國藩多年的閱歷，他知道眼前的這位青年不僅不是誇誇其談之輩，誠懇地說：「鄙人盡管在朝廷做了十多年官，平生又酷愛下圍棋，却從來沒有見過足下這等棋子。我想它定然出身不凡。若足下不嫌我冒昧，這船上沒有外人，舟子亦早已安睡，足下是否可對我講一講這副棋子的來歷？」

「當然可以。」康福毫不猶豫地點了點頭。

於是，在漁火點點、星月滿天的洞庭湖面上，在安謐狹窄、微微晃動的船艙裏，康福將從來不對外人言的祖傳之寶的來歷告訴了曾國藩。

四　康家圍棋子的不凡來歷

那還是康熙初年的時候，康福的先祖康愼赴京會試，在一個大雪紛飛的傍晚，來到了直隸安肅縣地面一座古廟邊，準備進廟稍避風雪。康愼剛要推開廟門，却突然發現門邊雪堆裏躺著一個人，這人差不多已全被雪掩埋了。康愼大吃一驚，急忙彎下腰來，手放在此人的鼻孔邊，感覺到尚有一絲氣在冒出。他把這人身上的雪掃開，雙手將人抱進廟裏。這是一座破舊的小廟。除一間安放泥菩薩的廳堂外，旁邊尚有一間小房。房子裏有一張床和一些簡陋的用具，像是有人在住，但又不見人。康愼想，或許此人就住在這裏，他進門或是出門時病倒在門口。康愼將那人放在床上，拿被蓋好，又往灶裏塞一把乾草，點著火，燒了一碗開水，給那人灌下兩口，然後坐在床邊，仔細端詳。這是個年約五十歲的男子，但嘴巴四周一根鬍鬚都沒有，瘦骨嶙峋的，衣衫既單薄又陳舊，是個窮苦人。過一會兒，那人醒過來，康愼將自己隨身帶的「風寒散」給他服了兩粒。那人用手撐著床板坐起來，發出一種女人般的尖細聲音：「相公，是您把我從雪地裏背進屋裏來的吧！謝謝您的救命大恩。」說著又要掙扎著起來給康愼磕頭。康愼制止他，說：「大爺，您是不是就住在這裏？」

那人點點頭，用手指指灶邊的瓦罐子。康慎看那瓦罐裏放的是半罐包穀粉。那人說：「相公，麻煩您將它煮了，您今晚就在我這兒吃兩碗包穀糊糊吧！」

這時天色已完全黑下來，外面風雪更緊，附近又沒有一戶人家，康慎想今晚只得在此過夜了。當康慎將包穀粉煮出一鍋粥來時，那人精神好多了，下床來找著幾塊蘿蔔，又煎了四個雞蛋。正要吃飯時，他又猛然想起什麼，忙跑出門外，從雪地裏摸出一只葫蘆來。他將葫蘆泡在熱水中，然後從裏面倒出白酒，便和康慎一口一口地對飲起來。那人知道康慎是湖南進京會試的舉人後，格外高興，說：「我叫紐序軒，在前明宮中作了十多年的公公。」「哦！原來是位太監，怪不得聲調像女人。」康慎心裏想。紐公公繼續說下去：「明朝亡後，我便回到原籍安肅。因不男不女的，也不願意住在親戚家，於是一人住進這座舊廟，靠原來的一點積蓄和給人幫工度日。今日午後到鎮上去買酒，回家途中便覺不舒服，又遇上大風雪，勉强走到家門口，便暈倒了。倘若不是遇到相公，這條命就到今天爲止了。」說著，紐公公起身高舉酒杯，「康相公，權借這杯酒，感謝您的救命大恩。」

康慎慌忙站起來說：「紐公公太客氣了。今天遇見您，也是我的緣分。您在前明宮中十多年，見多識廣，今夜就給我講點前明皇宮軼事吧！」

紐公公很興奮，一邊喝酒喝糊糊，一邊和康慎從洪武帝扯到崇禎帝，又細說了崇禎帝的周后、田妃、袁妃之間爭寵吃醋的故事，並極有興趣地談起宮女和太監如何結菜戶的事。這些宮中秘聞，使康慎大飽耳福。直到深夜。康慎才在紐公公的炕上睡下。

次日上午，康慎醒來時，只見紐公公正坐在灶邊生火，手裏拿著一本書，房內已作清掃，比昨天整潔多了。窗外，紅日高照，風也住了，雪也停了，陽光照耀著人間的玉樹瓊枝、銀山蠟原，顯示出一派嬌艷壯美的氣象。

紐公公今天精神大好了，見康慎醒來，笑容滿面地說：「康相公，昨夜歇得好？」

「歇得好。自離家來就沒有睡過這麼安穩的覺了。您起得早！」

「我是起早慣了，沒有睡早覺的福分。」

康慎穿好衣服，對紐公公說：

「您讀書的勁頭眞大，大冷的天，讀的什麼書。」

「這種書，你們正經讀書人怕是不會看的。」說著將書遞給康慎。康慎接過一看，是一本題爲《古棋譜》的舊書。書皮用黃綾裱就，雖顯得陳舊，並有污損，但仍可看出，黃綾的質量和當初裱糊的工藝都是相當高的。康慎笑著說：「紐公公，不瞞您說，我雖是個讀孔孟之書的舉人，但平生最喜歡的，倒並不是四書五經，而是琴棋書畫一類的閑事。」

「這麼說來，康相公於圍棋一藝必有深研。今日雖放晴，但大雪封門，行路不易，不如乾脆就在我家住幾天，我們圍幾局如何？我已經十多年找不到下棋的對手了。」紐公公說到這裏，眼中流露出一種悲涼的神色來。一瞬間，又笑著說：「平時沒有人和我下，我便自己和自己下，一手執黑，一把執白，自得其樂，來個當年東坡居士的『勝也不喜，敗亦無憂』。」

康愼覺得很有趣，他本不急著進京，離春闈還有兩個多月，時間有的是，遂欣然同意。又從包袱裏拿出五兩銀子來，說：「紐公公，我看您的日子過得艱難，我也不是個富裕的人；這點錢，權當我這幾天的食宿費吧！」。

「康相公說哪裏的話。我因爲家貧，不能用豐盛的酒席款待你，已覺慚愧難堪，哪能收你的錢！」。

「紐公公，不要客氣了，四海之內皆兄弟，你不收下，我也不能在這裏安生住。」

紐公公想想也是，家徒四壁，飯菜全無，留下康相公，拿什麼來招待呢？於是收下康愼的銀子。吃過早飯，紐公公說：「康相公，你就在這裏溫習溫習功課，我這就拿相公的錢去買點酒肉菜蔬來，回頭我們好好圍幾局。」

紐公公走後，康愼拿起《古棋譜》來翻看。書中所載棋譜並不多。打頭一篇是堯帝教丹朱弈棋局圖。接下是文王拘羑里自弈棋局圖、管仲與桓公對弈棋局圖、莊周與惠施對弈棋局圖、范蠡與西施對弈棋局圖、李斯與韓非對弈棋局圖、張良與陳平對弈棋局圖、孔明與周瑜對弈棋局圖等等。這些棋局名稱、康愼大部分沒有聽說過，見過的幾個棋局圖，又與平日的圍法大相逕庭。這眞是本奇書，康愼如獲至寶，聚精會神地看起來。看了半天，慢慢地終於看出些門路來了。

午後，紐公公回來。吃完飯後，二人對弈。康愼一向以善弈在朋輩中出名，誰知連下三局，局局敗北。紐公公下子出神入化，常常一子落盤，使康愼目瞪口呆，很久想不出一個對子。三局下來，康愼自知棋藝與紐公公相比，有天壤之別。於是他整整衣冠，離開座席，雙膝跪在紐公公面前，說：「公公，您的棋藝非人世間所有。如果您認爲康愼尚可教化地話，就請受此一拜，收下我這個徒弟。康愼寧願不要功名，今生就住在此廟內，侍奉公公，鑽研棋藝。」

紐公公哈哈大笑，一把扶起康愼，快樂地說：「相公何須如此鄭重。想我紐序軒乃天地間一廢人，空有圍棋絕藝，却不能養活一身。相公若眞要棄功名而專研棋藝，那我倒不敢與你談棋了。」紐序軒收斂笑容，變得莊重起來，「然相公此語，却使紐某大爲感動。幾局棋後，我已知相公根底不淺，思路靈活，只要稍加指點，有三、五個月，便可勝過紐某。況且相公乃我之救命恩人，我昨夜自思一夜，正愧無法報謝，故今早拿出棋書來，以察相公是否有興趣。既然如此，那我就平生所知，全部告訴相公。此去京師不過三百里，只有五天的路程，離試期尚有兩個多月，相公在我這兒住一個月，估計尚不會誤事。」

從那天起，康愼便虛心拜紐公公爲師，以《古棋譜》爲課本，苦學各種棋局。果然棋藝日進，半個月後便脫離流俗，進入一種全新境界。康愼心中好不歡喜。

轉眼一個月已到，次日早晨，康愼就要告別紐公公，啓程進京了。這天夜晚。紐公公捧出一盒圍棋放在桌上，對康愼說：「這是一盒我珍藏二十多年的圍棋子，現在送給相公，作爲我們之間這段難忘日子的紀念品。」

康愼激動地接過紫檀木盒，先看盒面上那銀雲金龍，便已覺來頭不凡，再看裏面那兩堆黑白棋子，眞可謂棋中神品，喜不自勝，趕忙深施一禮：「謝公公厚賜！」

「坐下，坐下。」待康愼坐下後，紐公公緩緩地說：「這盒圍棋，乃崇禎帝東宮田娘娘房中的寶貝。」康愼聽後，心中猛地一震。「田娘娘是崇禎爺最寵愛的妃子，不僅國色天香，更兼冰雪聰明，琴棋書畫，樣樣精絕，後宮佳麗無一人可及。崇禎爺待她，遠勝過正宮周后。偏偏崇禎爺坐江山十七年，無一日安寧。皇爺宵衣旰食，勤於政事，沒有多少娛樂的時間。田娘娘深知皇爺肩上擔子的沉重，遇到皇爺駕幸東宮時，田娘娘總是百般殷勤，想盡法子讓他寬心一會。崇禎爺愛下圍棋，田娘娘陪他下。論棋藝，皇爺自然不及田娘娘，但田娘娘每次都不露痕迹地有意讓皇爺取勝。宮中苦無好棋子。田娘娘就叫她的父親田宏遇去設法謀一副好棋子來。田宏遇派他的兒子到了雲南永昌府。」說到這裏，紐公公停住，向火坑裏添加了幾塊乾柴，屋子裏暖和多了。他繼續說，「相公知道，雲南永昌府出的棋子，號稱雲子，工精藝絕，歷來譽滿海內。也是田娘娘這番心意感動了天地，這一年，永昌府東北三十里外的金雞山裏，挖出兩塊千年難遇的好石頭：一塊純白，無半點瑕疵；一塊純黑，無絲毫雜質。知府爲討好田國丈，親自選派最好的窟工，不惜工本，燒製一盒圍棋子。棋子燒好後，誰見誰叫絕。這盒棋子比其他所有的雲子都顯得更古樸渾厚，色澤分外的純淨柔和，白的勝過和闐玉，黑的强似徽州墨，更兼具質地堅實，落盤聲鏗鏘悅耳，拿在手裏，冬溫夏涼，有一股說不出的舒服之感。田宏遇重重地賞了永昌知府，又叫專爲宮中做器具的工匠做了一個精巧的盒子，遂獻給崇禎帝。皇爺很是喜歡，就把這副棋子放在田娘娘宮中。從那以後，皇爺到田娘娘宮中的次數更多了。皇爺對田娘娘的寵愛，令周后、西宮袁娘娘和後宮所有妃子們嫉妒；田宏遇也仗著女兒而顯赫京師。我因爲一直服侍田娘娘，便也受娘娘的影響，酷愛圍棋。田娘娘也常爲我們講棋藝，爲討娘娘喜歡，我也就拚命地學，並偷偷地拜當時京中名弈癩子郎三爲師，因而棋藝也慢慢提高了。有一天，皇爺高興，和田娘娘下完棋後，還在盒子底板上親自寫了幾句話。」紐公公把盒子倒轉過來，康愼見上面寫著：「君子以之游神，先達以之安思，盡有戲之要道，窮情理之奧秘。右錄梁武帝《圍棋賦》。崇禎十二年冬。」

「後來，」紐公公接著說，「李闖王帶兵打進北京，崇禎帝命周后等人自盡後，自己也吊死煤山。宮中一片混亂，大家各自逃命，我也收拾衣服出宮。路過田娘娘舊宮，見這盒圍棋和那本《古棋譜》放在窗台邊。那時，大家眼裏只有金銀財寶，誰都不要這些東西。我便順手將這盒圍棋和《古棋譜》塞進包袱，回到了老家。一晃二十多年過去了。我很高興這次結交了你這位心腸好又愛下棋的朋友，我身子日漸不濟，將不久人世，這盒棋子連同這本《古棋譜》就送給相公，也算是沒有辱沒它們。」說罷，雙手將棋及書送到康愼手邊。康愼重新跪下，恭敬地接過。紐公公望著康愼，莊重地說：「昔唐明皇與宰相張說對弈，時鄴侯李泌年方七歲，在旁戲玩。張說對著圍棋隨口唸了四句詩：『方如棋盤，圓如棋子，動如棋生，靜如棋死。』鄴侯應聲對了四句：『方如行義，圓如用智，動如逞才，靜如遂意。』鄴侯不愧古今無雙之神童，小小年紀便能從下棋聯想到治世為人。這棋道和世道、人道本是相通的。梁朝名臣沈約說得好：「『弈之時義大矣哉！體希微之趣，含奇正之情，靜則合道，動必適變。』願相公日後慢慢體味這些弈中精微，做一個有德有才之君子。」

紐公公說到這裏，心情顯得異常激動，而康慎，則早已是兩眼飽含淚水了。

五　喜得一人才

「原來這副棋子竟是前明崇禎帝的愛物。」曾國藩說。當康福講到崇禎帝題字時，曾國藩果然從盒子的底板上看到那兩行字。崇禎的字跡，曾國藩見過不少，一眼就看出確是眞跡。

「是的。這副棋子傳到我們兄弟手上，已經是康家度過將近二百年，只可惜那本《古棋譜》在我爺爺手上遺失了。我們兄弟沒有繼承康氏家風，無德無才，棋藝也平平。今日在下流落岳州城，說來眞愧煞先人。」康福羞愧地低下頭。

「足下何必如此自責。自古以來，因時勢不到，英雄受困的事多得很。秦叔寶也有賣馬的時候，那時誰能料到他日後會輔佐唐太宗打天下。且足下不僅棋藝出色，武功也出衆，望好自爲之，出人頭地的一天總會有的。」

通過半天來的觀察與交談，曾國藩知道康福孝母愛弟，正直誠實，顛沛流離卻並不走入邪途。現在聽了他講敍這副棋子的來歷以後，更知道他家風純良，祖德深厚，很喜歡這個年輕人。心想：若得此人長隨身邊，眞可謂得一人才！康福受到曾國藩的鼓勵後，心裏也在想，倘若今生能跟著這位侍郎大人，必能大有長進，康氏家族可望復興。他對曾國藩說：「大爺，今日聽到你老的這番話，康福以後再不自暴自棄，定能奮發努力，爲康氏先祖爭光。」

曾國藩親昵地拍拍康福的肩膀，說：「足下只要有這份志氣和抱負，何愁沒有前途！夜深了，你先睡吧，明天我們一起對弈幾局，藉以消除舟中枯乏。」

翌日，曾國藩與康福在舟中一連下了五局棋，都輸了。又下了三盤殘局。也輸了。每局完畢，康福都詳盡地給曾國藩分析失誤的原因。曾國藩自覺這一天來棋藝進展很大，與康福眞有相見恨晚之感。第三天下午，船到沅江縣。康福請曾國藩主僕二人到他家作客，曾國藩欣然同意，安排好船老大在碼頭邊等著，便和荊七一道上岸。

下河橋離沅江碼頭只有十里路，半個時辰便到了。來到家門，康福驚呆了。原來自家的三間土牆茅屋已全部倒塌，隔壁鄰居家的屋也都圮倒，一家家在廢墟邊支起一個個棚子。康福問他們，才知十天前湖水暴漲，將這一帶的房屋沖垮不少，弟弟康祿和另外兩個年輕人尋求生路去了。康祿走之前，請鄰居轉告哥哥，說不必爲他擔心，兩三年後混出個人樣來再回家。曾國藩見此情景，對康福說：「看來足下一時難以在家安身，如果不嫌棄的話，請到我家住段時間，我也好朝夕向足下請教棋藝。

曾國藩此話，正中康福下懷，便也不推辭，爽快地答應了。當即三人又返回船上。次日清晨，船進入資江，當晚到了益陽。荊七付過船費，打發了船老大。

爲便於沿途與康福談話，也因爲連續十多天的船坐得手腳發麻，曾國藩不坐橋，三人從益陽開始步行回湘鄉。這天中午，來到寧鄉境內稽茄山腳下。

走了兩三天的路，曾國藩感到勞累。荊七看到前面一棵老松樹下，有一塊平坦的石板，便對曾國藩說：「大爺，我們在這裏歇息下吧！」曾國藩點點頭。康福說：「大爺，我有個表姐住在這裏不遠，我們到她家去坐坐，就在她那裏吃午飯！」

曾國藩說：「我已經累了，再說這樣憑空去打擾別人也不好，前面有家小飯鋪，我們到那裏去吃飯。你一人到表姐家去如何？」

康福抄小路走了。曾國藩主僕二人順著大路向小飯鋪走去。這是鄉村馬路邊常見的飯鋪。兩張小桌子，一個店主，一個小伙計。見有人來，店主連忙招呼，小伙計立刻端上兩碗茶來。

荊七知道曾國藩向來節儉，也不大多喝酒，便隨便點了三四個素菜，要了半斤水酒。

剛吃完飯，店主就笑嘻嘻地走上來，對曾國藩說：「老先生，我看你老這個模樣，便知是個知書斷文的秀才塾師。小店開張半個多月了，店門口連個對聯也沒有，今日就請老先生給小店寫一副，酒飯錢就不要付了，算是對你老的一點酬謝。」

曾國藩最愛寫對聯，也自認長於此道，友朋親戚之間，幾乎是有求必應，並以此爲樂事。今日店主人這樣誠懇，他當然不會敷衍推辭，便笑著說：「好哇！你想要副什麼樣的對聯呢？是想發財，還是想求平安？」

店主人見曾國藩滿口答應，很是快活，說：「老先生，小店別的都不想，只想叫別人見了，不好意思向我賒帳就行了。」

曾國藩大笑起來，說：「就是有副不准賒帳的對聯貼在這裏，他要賒也會賒。」

店主人憨厚地說：「總要好點。老先生，你老不知，小店開張半個多月來，天天都有人賒帳。都是些熟人，還有三親六戚的，他來賒帳，又不白吃，怎好不給他賒呢？但小店本小利微，天天如此，怎墊得起？不瞞你老說，半個多月來，小店不但分文未賺，還倒欠了肉舖幾千錢。」

望著這個可憐巴巴的店主人，曾國藩很同情他的難處，說：「好！我給你寫副口氣硬點的對聯貼起。」

小伙計趕緊拿出筆和紙，又磨起墨來。店主人和荊七都站在旁邊看。曾國藩略微思考一下，援筆寫道：「富似石崇，不帶銀錢休請客；辯如季子，說通王侯不容賒。」寫好後，又看了一遍。正在自我欣賞時，忽然耳邊響起一個外鄉人的口音：「韋卒長，你找了幾天找不到讀書人，這不就在眼前嗎？」

立時就有好幾個人圍上前來，七嘴八舌地說：

「這個先生的字不醜！」

「是的，不難看！」

「就找他吧！」

曾國藩扭過臉去，看是些什麼人在說話。這一看不打緊，直把他嚇得三魂飛掉二魂，七魄只留一魄！

六　把這個清妖頭押到長沙去砍了

原來，圍在曾國藩身旁的是一羣年輕漢子，一個個頭上纏著紅包布，攔腰繫一條大紅帶子，帶子上斜插著一把明晃晃的大砍刀，衣褲雜亂無章，一律赤腳草鞋，臉上滿是煙土灰塵。雖然臉上都帶著笑容，但在曾國藩看來，那笑容裏卻充滿了殺氣。他心裏暗暗叫苦不迭：這不就是一路來常聽人說起的長毛嗎？眞正寃家路窄，怎麼會在這裏碰到他們！

一個頭上包著黃布頭巾的人過來，在曾國藩的肩上重重一拍，操著一口廣西官話說：「伙計，幫我們抄幾份告示吧！」

曾國藩楞住了，不知怎樣回答才好，心想：這怕就是他們的頭目韋卒長了。包黃布的人繼續說：「不要怕！你是讀書人，我們最喜歡。你若是肯歸順我們，包你有吃有穿，仗也不要你打，日後我們天王坐了江山，給你一個大官當如何？」那人邊說邊瞪著兩只大眼望著曾國藩。果然是一羣長毛！曾國藩迅速安定下來，腦子裏在盤算對策。包黃布的人見他不作聲，又說：「如果你不願意，幫我們抄完告示就放你回去。」

曾國藩料想一時不得脫身，便對荊七說：「你在這裏等康福，天晚還沒回來，你就去找我。」

荊七一聽爲難了：如果眞的沒回來，我到哪裏去找呢？還不如現在就跟著去：「大爺，我和你一道去吧！緩急之間也有個照應，康福來後，就煩老板告訴他一聲！」

包黃布的大聲：「好！一起走，一起走。」說著，便指揮手下的士兵連擁帶押地將曾國藩主僕二人帶走了。

曾國藩心裏這時正是十五個吊桶打水——七上八下的不得安寧。到何處去？抄什麼樣的告示？倘若被別人知道，豈不是在為反賊做事？此中原委，誰能替你分辯？腦子裏一邊想，腳不由自主地向前走著。看看方向，卻又是向長沙那邊走去，離湘鄉是越來越遠了。快到天黑時，這隊士兵將他們帶到一個村莊。

村莊裏的人早走光了。士兵們將他們安置在一間較好點的瓦屋裏。過會兒，一個十五、六歲的童子兵端一大碗熱氣騰騰的狗肉進來，擺在桌子上，又放上兩雙筷子。小傢伙臉上油汗混在一起，興高采烈地說：「你們眞有口福，剛才打了幾只肥狗。韋卒長說，優待教書先生，要我送來兩碗，趁熱吃吧！只可惜沒有酒。」曾國藩聞著狗肉那股騷味就作嘔，何況炎暑天吃狗肉，是湖南人的大忌。他緊皺雙眉，直搖頭。荊七對童子兵說：「小兄弟，我們不吃狗肉，你拿去吃吧！請給我們盛兩碗飯，隨便挾點菜就行。」

童子兵一聽這話，高興得跳起來：「這麼好的東西都不吃，那我不講客氣了。」

小傢伙出去不久，便端來兩碗飯，又從口袋裏掏出十幾隻青辣椒，說：「老先生，飯我弄來兩碗，菜卻實在找不到。聽說湖南人愛吃辣椒，我特地從菜園子裏摘了這些，給你們下飯。」

曾國藩看著這些連把都未去掉的青辣椒，哭笑不得。既無鹽，又無醬油，如何吃法！湖南人愛吃辣椒，也沒有這樣生吃的本領呀！無奈，只得扒了幾口白飯，便把碗扔到一邊。包黃頭布的人進來，手裏抓著一張寫滿字的紙，大大咧咧地坐到曾國藩的對面，說：「老先生，吃飽了吧！今天夜裏就請你照樣抄三份。」說罷，將手中的紙展開。曾國藩就著燈火看時，大吃一驚，心撲通撲通地急跳。抄這種告示。今後萬一被人告發，豈不要殺頭滅族嗎！他直瞪瞪地看，頭上冷汗不停地冒出。黃包布並不理會這些，高喊：「細腳仔，拿紙和筆墨來！再加兩支大蠟燭。」

剛才送狗肉的童子兵進來，一隻手拿著幾張大白紙，兩隻洋蠟燭，另一隻手拿著一支毛筆、一個硯台，硯台上還有一塊圓墨。黃包布說：「老先生，今夜辛苦了。抄好後，明早讓你走路。」

待兵士們走後，曾國藩將告示又看了一遍，只見那上面寫著：

太平天國左輔正軍師領中軍主將東王楊、太平天國右弼又正軍師領前軍主將西王蕭奉天討胡檄

嗟爾有衆，明聽予言。予惟天下者，上帝之天下，非胡虜之天下者也。衣食者，上帝之衣食，

非胡虜之衣食也。子女民人者，上帝之子女民人也。慨自滿州肆毒，混亂中國，而中國以六合之大，九州之衆，一任其胡行而恬不爲怪，中國尚得爲有人乎？妖胡虜焰燔蒼穹，淫毒穢宸極，腥風播於四海，妖氣慘於五胡，而中國之人，反低首下心，甘爲臣僕。甚矣，中國之無人也！

曾國藩讀到這裏，氣憤已極，拍桌罵道：「胡說八道！」再看下面，檄文還長得很，足有千餘字之多，他不想看下去，只用眼掃了一下結尾部分，見是這樣幾句：

子興義兵，上爲上帝報瞞天之仇，下爲中國解下首之苦，務期肅清胡氛，同享太平之樂。順天有厚賞，逆天有顯戮，布告天下，咸使聞知。

「這些天誅地滅的賊長毛！」曾國藩憤怒地將告示推向一邊，又罵了一句。

「大爺，若是我能寫字就好了，我就給他們抄幾份去交差。你老是絕不能抄的。」荊七跟著曾國藩久了，也略能識得些字，但卻不能寫。

「你也不能抄！你抄就不殺頭了麼？」曾國藩眼中的兩道兇光使荊七害怕。

「大爺，若是不抄，明天如何脫身呢？」荊七戰戰兢兢地說，「長毛是什麼事都做得出的，聽說他們發起怒來，會剝皮抽筋的。」

曾國藩全身顫抖了一下。他微閉雙眼，頹廢地坐在凳上。「看來只有裝病一條路。」盤算許久，他才在心裏拿定了主意。

這時，屋外突然一片明亮。曾國藩看到幾十個長毛打著燈籠火把朝這邊走來，嘰嘰喳喳地，不知說些什麼。快到屋門口，火把燈籠裏走出一個人來。他一腳邁進大門，便高聲問：「誰是韋永富帶來的教書先生？」

韋永富——纏黃包布的人忙向前走一步，指著曾國藩說：「這個人就是。」又轉過臉對曾國藩說：「老先生，我們羅大綱將軍來看你了。」

曾國藩坐著不動，以鄙夷的眼光看著羅大綱。見他年約四十歲，粗黑面皮，身軀健壯，頭纏一塊黃綢包布，身穿一件滿綉大紅牡丹湖綢綠長袍，腰繫一條鮮紅寬綢帶，腳上和士兵一樣地穿一雙夾麻草鞋。羅大綱並不計較曾國藩的態度，在他側面坐下來，以宏亮的嗓門說：「老先生，路上辛苦了吧！兄弟們少禮，你受委屈了。」

曾國藩心想：這個長毛倒長得這樣英武，說話也還文雅。他不知如何回答，乾脆不作聲。

羅大綱定睛望了曾國藩一眼，說：

「老先生，我看你的樣子，是個飽學秀才，我們太平軍中正缺你這樣的人，你留下來吧！我向天王薦舉，你就做我們的劉伯溫、姚廣孝吧！」

曾國藩心裏冷笑不止，這個長毛「羅將軍」，怕是從戲台上撿來這兩個人名吧。他想試探一下羅大綱肚子裏究竟有幾多貨色，便開口道：「劉基輔助朱洪武打江山，道衍卻是朱棣篡侄幾位的幫兇，這二人怎能並稱？」

羅大綱哈哈笑起來，說：「你也太認眞了。劉伯溫、姚廣孝都是有學問、有計謀的好軍師，如何不能並稱？至於是侄兒做皇帝，還是叔叔做皇帝，那是他們朱家自己的事，別人何必去管！方孝儒不值得效法。我看成祖也是個雄才大略的英明之主，建都北京便是極有遠見的決策。老先生若是對此有興趣，以後我們還可以在一起商榷，只是今夜沒有時間了。」

曾國藩心想，看來長毛中也有人才，並非個個都是草寇。見曾國藩不再說話，羅大綱站起來，准備走了。臨走時，又對曾國藩說：「委屈老先生今夜抄幾份告示，明天我們要用。」

王荊七趕快說：「我們大爺病了，今夜不能抄。」

羅大綱伸出手來，摸了下曾國藩的額頭，果然熱得燙手，便吩附韋永富：「老先生既然病了，就讓他歇著，叫個醫生來看看，明天我帶他去見天王。老先生有學問，天王一定會重用。」

說著便帶著兵士們出了門。曾國藩心裏叫苦不已。

過一會兒，韋永富急匆匆地走進來，板著面孔對王荊七說：「把你背的那個包袱給我！」

曾國藩和王荊七立時一驚。那包袱裏放的銀子倒不多，重要的是有一份朝廷文書，那上面載明曾國藩的身分官職，以便沿途州縣按儀禮接待。通常曾國藩都不拿出來，他不願意過多驚動地方長官。這下糟了，讓長毛知道自己的身分，就再也莫想脫身了。王荊七不肯交，但事情來得倉促，現在連藏都無法藏了。韋永富不等王荊七自己交，一把從他身上扯下來，風風火火地走了。主僕二人傻了眼：難道有人認得麼？

原來，跟著羅大綱進來的一大羣太平軍中，有一個湘鄉籍士兵栗慶保。十多年前，栗慶保在湘鄉城裏見過曾國藩一面。曾國藩當時是新科翰林，從北京回到湘鄉，縣令和城裏一批有頭面的紳士天天輪流宴請。小小的湘鄉縣城，誰不知出了個曾國藩！栗慶保那時正在一個紳士家做短工，那一天，他親眼看見曾國藩坐在主人家的筵席上。盡管十多年過去了，曾國藩臉上有了皺紋，嘴上留著長長的鬍鬚，身體發福了，但栗慶保仍然能認出。栗慶保將這個發現告訴羅大綱。爲了核實清楚，避免誤會，羅大綱叫韋永富將王荊七隨身帶的包袱拿來。

「清妖頭曾國藩站起來！」一聲炸雷震得曾國藩發懵，他看見韋永富帶著四個手執大刀的士兵已站在他身邊。他不由自主地站了起來。一個士兵過來，將他的雙手緊緊捆綁著。曾國藩出生四十多年來，從沒有被人這樣對待過，這十多年來的官宦生涯，更習慣了人們的恭敬尊重，他覺得受到了奇恥大辱。在一瞬間裏，他想到不如觸柱而死，但又太不甘心了。他臉色鐵青，三角眼裏的目光兇狠狠、陰森森。旁邊的荊七也同樣被捆了。

韋永富將曾國藩押到另一間屋裏。這裏燈火通明，羅大綱殺氣騰騰地坐在上面，見曾國藩進屋，便虎地站起來，雙眼死死地盯著他，突然吼道：「你原來是個大清妖頭，險些被你騙了！你不在北京做咸豐的狗官，爲何跑到這裏來了？」

在押解的路上，曾國藩想：千萬不能向反賊乞求饒命，大不了一死罷了。這樣一下決心，反倒平靜下來，他緩緩地回答：「本部堂奉旨典試江西，爲國選才，只因途中聞老母去世之訊，改道回籍奔喪。」

羅大綱拍著桌子喝道：「你的老娘死了，你曉得悲痛。你知不知道，天下多少人的父母妻兒，死在你們這班貪官污吏之手?!」

「本部堂爲官十餘年，未曾害死過別人的父母妻兒。」曾國藩分辯。

「住嘴！你看看這是什麼地方，豈容你在這裏放肆，口口聲聲自稱『本部堂』。再稱一聲『本部堂』，本將軍先割下你的舌頭。」第一聲「本部堂」已使羅大綱氣憤，這一聲「本部堂」，更使羅大綱怒不可遏了。

曾國藩向四周掃了一眼，只見滿屋子個個橫眉怒對，緊握刀把，那架式，恨不得立即一刀宰了他。曾國藩一陣心跳，迅速將目光收到自己的雙腳上。

「曾妖頭，」羅大綱繼續他的審問，「不管你本人是否害過人，我來問你，全國每年成千上萬的人死於病餓災荒，不由你們這班人負責，老百姓找誰去！」

曾國藩不敢再稱「本部堂」，也便不再分辯了。他心裏在自我安慰：不回話是對的，一個堂堂二品大員，豈能跟造反逆賊對答！

羅大綱見曾國藩不開口，心想，再審下去亦無用，無非是罵罵他出口氣而已。便對韋永富說：「先帶下去關起來，明天將這個清妖頭押到長沙去砍了，也好藉此激勵前線將士。」

重新回到原來屋子裏，曾國藩想起明天將要不明不白地被砍頭，心裏懊惱不已：萬不該到飯鋪去吃飯，萬不該寫對聯，倘若不是碰到這伙千刀萬剮的長毛，再過三、四天就要到家了。

正在曾國藩胡思亂想之際，荊七忽然發現從窗口上跳下一個黑影。他緊張地推了曾國藩一把。那黑影直朝他們走來，輕輕地說：

「大爺，我是康福。」

「康福！」荊七又驚又喜。康福連忙制止他，抽出刀來，割斷綁在曾國藩和荊七手上的繩子。曾國藩緊緊拉著康福的手，生怕他又要走似的，激動地說：

「賢弟，你怎麼找到這裏來了！」

「是飯舖老板告訴我的。」康福小聲說，「我一路追踪而來，訪得他們今夜在此宿營，就一間屋一間屋地找尋。大爺，虎穴不可久留，我們趕快走！」

說完，康福縱身跳上窗台。荊七蹲下，曾國藩踩著他的雙肩，康福將曾國藩拉下窗戶，自己先跳出屋外，然後雙手將曾國藩接住，荊七也跟在後面，從窗口跳下來。在前面一片喧鬧聲中，康福領著曾國藩、荊七悄悄地離開了村莊。

三人高一腳低一腳地向西奔去，約走了十來里路，荊七忽然驚叫一聲：「不好，包袱還在長毛手裏！」

「包袱裏有什麼貴重東西沒有？」康福問。

「別的都不要緊，只是有一份朝廷文書，不能落在長毛手裏。」曾國藩說。

「我去拿來！」康福說著就要回頭，曾國藩一把拉住他，說：「去不得，你看後面！」

康福和荊七扭過頭去，只見後面點點火把，正跳躍著向他們奔來。荊七急了：「長毛追來了，怎麼辦？」

「我們先找個地方躲躲。」

康福指著前面一個黑堆說：「那邊有一堆茅草，委屈大爺到那裏暫避避，我去打發他們。」

曾國藩二人慌忙鑽到茅草堆裏躲下，康福大搖大擺地回頭走去。

「伙計們，這麼黑的天，找什麼？」

「看到兩個慌慌張張趕路的人嗎？」

「是不是一個滿臉大鬍子，一個瘦瘦精精的？」

「正是。他們往哪裏去了？」

「往北去了。」

「看清楚了嗎？北邊追不到，我們回頭來要你的腦袋！」

「看清楚了，快點去吧！去遲了，追不到，就怪不得我了。」

火把人羣都向北邊吵鬧著去了。康福走到茅草邊，問荊七：「包袱放在哪間屋裏？」

「就在長毛議事的前屋。」

「大爺，你們在這裏再等等，我去把包袱取來。」

曾國藩拉住康福：「賢弟，不必去了吧！包袱不要了。」

「朝廷文書落在長毛手裏總不好，我馬上就回來。」

曾國藩的手鬆了，康福很快消失在黑夜中。將近一個時辰後，康福背著包袱回來了。他遞給荊七，「看看是不是這個？」

「是的，是的。」荊七連聲說。

曾國藩打開包袱，見朝廷文書還在，一塊石頭落地了，心裏對康福無比感激。康福說：「大爺，我們走吧！」

七　哭倒在母親的靈柩旁

經過這次虎口逃生之後，曾國藩再也不敢徒步行走了。他雇了一頂小轎抬著，康福、荊七一前一後地緊挨著轎。路過湘鄉縣城，已是黃昏，爲避免應酬再躭擱時間，曾國藩特地選擇南門外一家小小的伙舖落腳。次日凌晨悄悄離開，當天傍晚到了歇馬鎮，正碰上前來迎接的江貴。

「哎呀，我的大爺！你老終於回來了，老太爺和爺們姑們個個望穿了眼。」歇馬離荷葉塘只有七十里，江貴沒有走多遠就接到了，心裏很快活。

「老太爺好嗎？」江貴是曾國藩母親江氏娘家的遠房侄兒。見到江貴，幾天來暫時忘記的母喪之悲立刻湧上心頭，曾國藩感到胸中一陣發悶，語音也變得淒苦。

「老太爺身體倒還好，就是天天盼望著你老，巴望你老快到家，生怕有什麼意外。」江貴服侍著曾國藩歇下後，說：「大爺，你老今夜在這裏安頓歇著，這就算到家了，我現在就趕回去告訴老太爺。」

「天這麼黑了，你明天一早走吧！」

「家裏得早作準備。夜路走慣了，這幾十里算得什麼。」

曾國藩拿出一兩銀子給江貴，說：「這些日子辛苦了你，前些時候跑到安徽送信，今天又到歇馬來接我，難爲了。」

鄉下人平時用的是吊錢，難得見到銀子，江貴接過一兩白花花的銀子，歡天喜地，扒兩口飯，便連夜趕回荷葉塘去了。

第二天傍晚，曾國藩到了賀家坳。九弟國荃、滿弟國葆早已在這裏迎候，見到腰繫麻繩的大哥從轎中走出，兩個弟弟一齊痛哭起來，曾國藩也落下眼淚。國荃自道光二十二年離家後，兄弟再未見面，國葆則是分別整整十二年了。曾國藩見兩個弟弟都已長成大人，又喜又悲。寒喧一番後，便攜手步行回白楊坪。

遠遠地看到家門口素燈高掛，魂幡飄搖，曾國藩悲痛萬分，他三步並作兩步朝大門口奔去。三道大門早已全部打開，曾府老少數十人一律站在門口兩旁。曾國藩一眼看見父親拄著拐杖站在正中，便不顧一切地跑上前去，雙膝跪在父親面前，語聲哽咽地說：「不孝兒來遲了……」

話未說完，眼淚早已一串串流下來。姐姐國蘭、妹妹國蕙、國芝、弟弟國潢、國華一齊走過來，將他扶起。曾國藩重新向父親及叔父、叔母請安，吩附國葆好好照顧康福後，便在弟妹們簇擁下，進了大門。穿過第一道房屋，曾國藩看見黃金堂裏燭光輝映下的白色幔帳，頓時眼前天旋地轉，一反平時穩重克制的常態，跌跌撞撞地向靈堂奔去，振得國潢等緊緊追隨著。在母親遺像前，曾國藩雙膝跪下，一聲「娘呀」喊後，只覺得一陣發黑，便什麼都不知道了。闔府上下慌成一團。堂叔東陽懂得點醫道，對麟書說：「不礙事。這是連日勞累，加上方才悲痛過度引起的，慢慢就會醒過來的。」

他指揮衆人把曾國藩抬到床上，掐著人中，用冷毛巾敷著他的額頭，然後撬開牙，灌下一匙薑湯。曾國藩慢慢醒過來了。他滿臉是淚，又掙扎著走到靈柩邊，要見母親最後一面。

江氏雖然早已大殮入棺，因爲要等曾國藩回來，棺蓋一直未釘死。衆人移開棺蓋，曾國藩就著燭光，最後看了一眼母親。只見母親十分清瘦，雙目緊閉，神態安詳，曾國藩心內如萬箭在穿射。衆人把他駕開，棺蓋很快又蓋上，並立即釘死。曾國藩撫著棺蓋，想起母親一生爲家庭的操勞，對自己的疼愛；想起母親重病中，自己居然沒有侍奉過一天湯藥，也沒有聆聽母親的臨終囑附；又想起早兩天的驚嚇，差一點就沒命回家了。一時間，他肝腸寸斷，心膽俱裂，積壓在胸中一個多月來的悲傷和這幾天的恐懼，一齊奔湧出來。他再也不能控制了，便索性在靈柩邊放聲痛哭。曾國藩這麼一哭，惹得曾府上下一齊大哭起來，尤其是國蘭姐妹，更是一聲娘一聲媽地叫喊著。過了好一陣，麟書拉起扶在棺木上的兒子，說：

「寬一，」盡管兒子已官居侍郎，麟書仍習慣用乳名叫他，「你連日勞累，不要太悲傷了。」麟書勸著兒子，自己已是老淚縱橫。

自從道光二十一年春天，曾國藩送別護送眷屬來京的父親後，十二個年頭過去了，父子再未見面。今夜，曾國藩看著滿頭白髮，一向儒弱的父親，心中充滿著憐憫。

「父親大人，母親她老人家這次得的是什麼病？」

「心氣痛，又加發黑腦暈。」

「她老人家的病情，以往的家信裏，你老和弟弟們爲何總不見說呢？」曾國藩疑惑地問。

「我是想告訴你的，你娘總不肯，怕影響你爲皇上辦事……」麟書似乎有滿肚子苦水要向兒子傾吐，但他生性言語遲鈍，且心中又甚是淒愴，一時氣悶語塞，話接不上來了。國蘭忙給父親拿來水煙壺，麟書吸了兩口，用手擦著壺嘴，把它遞給兒子。曾國藩擺擺手：「我已經戒了八年了。」聽了父親這句話。知道母親在重病之中還這樣體貼他，曾國藩心中愈加難受。他望著從幔帳裏伸出頭面的黑漆棺材，淚水又流了出來。家裏老人的幾副壽器，是他專門從京里付回銀子，託叔父置辦的，當時一共辦了四具。還招呼每年爲四具壽器加漆一次，並按時寄回漆銀。他還特地告訴弟弟，湘潭漆好，但要向內行多打聽，因爲國漆眞假難辨，不要和別人一起去買，以防奸弊；加漆時，不要多用瓷灰、夏布，恐與漆不相膠粘，歷久而脫殼。又關照弟弟不要叫黃二漆匠來漆，此人奸詐，辦事不可靠。他知道家裏幾位老人遲早要用，因而格外用心。但現在想著躺在裏面永別的母親，不禁又悲從中來。

一向能言快語的國蕙見爹一個勁地抽煙，知道爹的老毛病又犯了：越是有滿肚子話要說，越是不知怎樣說才好，最後便是默默地吸煙。她於是接過爹的話頭，對哥說：

「三個月前，接到哥的信，得知放了江西主考，又蒙皇上恩賞一個月的假期省親，全家都高興，娘更歡喜，病都好了幾分，也間或可以下床走動了，吩咐家裏作準備，迎接哥回來。又是粉刷房子，又是做新衣——全家人每人做一套。孫兒們讀書不長進，就罵他們：『過幾天大伯回來，看你們有臉見？』兒子們哪件事沒做好，就教訓：『等你大哥回來後，我要告訴他！』好了半個月，又因興奮過頭，躺倒在床上。口裏整天念道：『不要讓我就走了，我寬一就要回來了，讓我再看看寬一吧！』」曾國藩忍不住又小聲抽泣起來，國蕙也傷心得說不下去。家人送來兩杯熱茶，兄妹接過。喝一口茶後，國蕙繼續說：「到了六月初十上午，娘的病突然惡化，痰湧上喉，不能開口。滿弟趕緊到鎮上請來金大爺。金大爺也沒辦法，只讓灌參湯。灌下一碗參湯後，又拖了兩天。十二日點燈時分，看看不濟，爹把全家人叫到娘跟前。娘這個望望，那個瞧瞧，一雙眼瞪著大大的，死勁用手指櫃子。大家不明白她老人家的意思。我想，娘是不是要看看她平素愛穿的衣服，連忙從櫃子裏把娘的幾件好衣拿出來，送到娘的面前。娘用手輕輕推開，四弟妹以為娘要把家裏的鑰匙親手交給哪位媳婦，急忙從櫃子裏捧出一大串鑰匙來，娘死命搖頭。還是爹懂得娘的心思，他知道全家人都在，唯獨缺了哥，娘見不到哥，想再摸摸哥寄回來的家信。爹親手從櫃子裏取出哥這些年寄回來的一大捆家信，放到娘的枕邊，娘雙手摸著摸著，慢慢地嚥了氣……」

曾國藩聽到這裏，再也忍不住了，雙手捫著臉，又失聲痛哭起來。他想起與母親最後訣別的那一天——

那是道光十九年十一月初二日，曾國藩散館進京。天尚未明，在「哇哇」的啼哭聲中，次子紀澤降臨人世，曾國藩心裏高興極了。長子禎第二月因痘夭折，夫人歐陽氏一直心裏難受，現在她有了安慰。尤其是母親，抱孫心切，見添的又是一個孫子，笑得合不上嘴。吃罷早飯，全家人送曾國藩上路。母親不顧勸阻，一定要送他。老人家牽著他的手，沿著山路，頂著北風，一直送出十里之外。他那時已經二十九歲，作父親了，而母親卻仍把他當作小孩子，像以往每年送他到衡州城裏讀書一樣，一路叮嚀不止。母親噙著眼淚，囑咐他要愛惜身體，好好在京城做官，今後遇到機會，要回家來看看老父老母。曾國藩走出兩三里外，回過頭來一看，母親仍站在路邊小山頭上，北風吹動著她的花白頭髮，兩眼直直地望著遠方……

多少年來，這情景總在曾國藩腦中縈繞，牽動著他的無窮無盡的鄉戀。今天，兒子特意回來看母親了，母親卻已不能睜開雙眼，看一看作了大官的兒子。老天爺呀！你怎麼這樣狠心！竟不能讓母親再延長三、四個月的壽命，由遠歸的遊子陪伴她老人家在人世間的最後一段日子呢?!一剎那間，曾國藩似乎覺得位列卿貳的尊貴，京城九市的繁華，都如塵土煙灰一般，一錢不值，人生天地間，唯有這骨肉之間的至親至愛，才眞正永遠值得珍惜。他淚如泉湧，痛不欲生，不顧一切地撲向棺材，喊道：「娘呀！兒子回來晚了！兒子對不起你老人家呀！」

整個靈堂又是一片哭聲，曾國藩的弟妹們哭倒在棺材旁邊。大家思念老太太生前的盛德，更為國藩的純孝所感動。極度的悲慟，烏雲般地罩住曾府靈堂，一大滴一大滴淚珠雨水似地灑在棺木旁，灑在遺像前……

叔父驥云過來，把曾國藩扶起，大家也跟著站起來，止住眼淚。廚子過來稟告，夜飯已準備好，大家簇擁著曾國藩來到一間被稱作「白玉堂」的大廳裏，待他坐定後，一家人重新施禮。麟書招呼大家坐好，吃個團圓飯。曾國藩剛落坐，突然想起康福來，連忙打發荊七去請。康福過來，見是國藩家人團聚，高低不肯坐。曾國藩拉著他，說：「賢弟，今天這餐飯一定請你和我全家人一起吃。」

待康福坐下後，曾國藩將如何在岳州城結識他，後來又如何被長毛抓去，多虧他搭救之事簡單說了一遍，家人無不感慨唏噓。九弟國荃滿斟一杯酒，走到康福面前說：「好漢，你是我們曾府的救命恩人，我以曾氏全家人的名義，敬你這杯薄酒。」康福慌忙站起，連聲說：「不敢當！這要折了小人壽的！」說著，將杯中酒一飲而盡。

吃罷飯，大家勸國藩去休息。曾國藩說：「十多年來，我未在母親前盡一天孝，病中，我也沒有侍奉過一天湯藥。這兩個月來，都是你們在操勞。我今夜回來。怎麼能不守靈就去睡覺呢！你們置我於何地？豈不怕鄉親們恥笑嗎？」

大家見他說得有道理，又已到三更天了，於是留下滿弟和其他幾個僕人在靈堂，其餘便都各自去睡覺。

重新出現在靈堂的時候，曾國藩已經換了孝服，裹著白包布，通體素白。他恭恭敬敬地在母親遺像前磕了三個頭，然後洗淨雙手，給每個香爐插上香，給每根蠟燭剪去燈芯。然後在靈堂四壁前走了一圈，看看這些輓歌祭幛是哪些人送的，又細細地看了看各種輓幛的料子如何，用手摸摸搓搓。看過後，把國葆喊過來，要他指揮僕人們，把自己沿途帶回的署江西巡撫陸元娘、江西學政沈兆霖、湖北巡撫常大淳的輓聯高高掛在顯眼的地方。

曾國藩手捻鬍鬚，認眞地欣賞這三副地位最高的人送的輓聯。無論文字書法，都可名列前茅。尤其是常大淳的那副，用蒼勁的魏碑體寫就，墨色光潤，筆力飽滿。曾國藩看著，禁不住念出聲來：「星使從柴桑歸來，聞慈母一笑登天，想岳軸千尋，魂依高嵋；皇誥自闕下頒下，憶家門屢蒙異數，悵煙雲萬里，望斷青山。」

「眞不愧衡陽才子，意好，字好，堪稱雙絕。」他在心裏稱讚不已。

他在靈桌邊坐下來，望著眼前母親的遺像，呆呆地想著，彷彿母親就坐在對面，自己還是三十年前的小書生，在書房裏用功累了，跑到廚房，一邊幫母親摘豆子，一邊聽母親講故事。母親最愛的故事，就是生自己那夜的情景。

八　蟒蛇精投胎的傳說

那是嘉慶十六年的時候，曾國藩的曾祖父竟希公還健在。這年十月十一日深夜，竟希公忽然看見一條巨蟒在空中盤旋，慢慢地靠近家門，然後降下來，繞屋宅爬行一周，進入大門。竟希公清楚地看到這條蟒蛇身子有吊桶般大，頭進到院子裏很久了，才見尾巴漸漸收入，渾身黝黑有光，斑紋耀眼，長長的信子從嘴裏伸出來，上下顫動，嘶嘶作響，蹲在院子裏，兩只晶亮透紅的眼睛直瞪瞪地望著他。竟希公嚇得出了一身冷汗，猛地醒過來，卻原來是南柯一夢！竟希公感到蹊蹺，睡意全無，遂披衣走出屋。但見明月在天，秋風颯颯，四周閒靜。他信步走著，突見空坪上分明爬著一條大蛇，居然左右蠕動，似要前行。竟希公又嚇了一跳，再定睛看時，並不是蛇，而是白果樹邊那株老藤的影子。竟希公從藤影又聯想到剛才的夢，越發覺得希奇。正在凝思時，老伴喜孜孜地走過來，說：「孫子，媳婦生了，是個胖崽！」

竟希公這一喜非比尋常，趕忙走進長孫的堂屋，兒媳婦正抱著長曾孫。紅燭光下，嬰兒白裏透紅，頭臉周正，眼睛微微閉著，似笑非笑地，煞是逗人喜愛。他猛然醒悟了：「這孩子莫不是剛才那條蟒蛇投的胎！」他立即把這個不尋常的夢告訴全家，又領著他們去看院子裏的藤影。大家都說蟒蛇精進了家門。竟希公喜極了，對身旁兒子玉屏、孫子麟書說：「當年郭子儀降生那天，他的祖父也是夢見一條大蟒蛇進門，日後郭子儀果然成了大富大貴的將帥。今夜蟒蛇精進了我們曾家的門，崽伢子又恰好此時生下。我們曾氏門第或許從此兒身上要發達了。你們一定要好生撫養他。」

從那時起，院子裏那株老藤也受到了格外的保護……

就在黃金門外的大坪中，借著燭光，曾國藩看見那棵分別十二年之久的古藤，依然青翠如故，心中甚是欣慰。他記得母親還給他講過一個故事——

曾國藩七歲那年的正月，母親帶著他到外婆家去拜年，小小的漁划子裏坐著母親、他和妹妹國蕙，遠道來接的江貴打著雙槳，在清澈見底的涓水上，慢悠悠地划著。天氣很好，兩岸山坡上樹葉枯落、茅草發黃，草木叢中時見一閃而過的羚羊、麂子和野兔，水中一羣羣游魚歷歷可數。他第一次出遠門。心裏特別高興。一會兒目不轉睛看著岸邊的山坡，追尋著野物；一會兒又把手伸到水中，試圖捉起一兩條小魚。每當他的小手接觸水面時，母親就顯得很緊張，唯恐他掉到河裏去。行到一段急流處，船頭揚起的水花，在陽光照射下，如同珍珠發光。曾國藩很歡喜，伸手去抓水珠。正在這時，母親看到一條大蛇向船邊游來。「蛇！」她驚叫一聲，腳一滑，倒在船邊。船猛然一歪，國藩掉進水中。母親驚呆了，立刻要往水裏跳，江貴擋住她。江貴正要下河，卻見國藩兩手死命地抓住一根樹竿，急得哇哇大叫。船划過去，毫不費力地就將他拉了上來。江貴說：「表弟福大命大，將來必定大有出息。」

母親疑惑地說：「明明看見一條大水蛇游來，怎麼會是一段樹竿呢？一定是那條水蛇變成樹竿來救寬一的命，寬一本就是蟒蛇精投的胎。」

到了外婆家，母親將這段險情一說，大家都說母親講得有道理，並恭賀她今後一定會得到皇上的封號。

九　刺客原來是康福的胞弟

遠處幾聲雞叫喚起曾府雄雞的共鳴，天快要亮了，曾國藩披衣走出黃金堂。黎明前的夜空，顯得更加黑暗。土坪古藤下，一個黑影在跳躍。那是康福在練拳。康福步伐靈活，拳腳有力，曾國藩看著，心中很是羨慕：能像康福這樣有些武功在身就好了，平日可以用來強身，緩急之間還可以自衞。正在遐想時，康福猛然喊道：「大爺低頭！」

曾國藩趕緊把頭低下，只見頭頂上「颼」的一聲，一樣東西飛過，接著便是「噎」的一聲，身後木柱上牢牢釘住一把明晃晃的飛鏢。康福說聲「有刺客」，便一個箭步奔來，從柱子上拔出飛鏢。借著黃金堂射出的燭光，他看見雪白的飛鏢上刻著一個「祿」字，心裏猛然一驚：「糟糕，難道是弟弟來了！」荊七和靈堂里另外幾個家人聞訊趕出，忙將曾國藩扶進屋。康福縱身躍上牆頭，只見遠處一個黑影在奔跑。他跳下牆，向黑影追去。約跑出四、五里路遠，康福追上那人。這時天已漸漸發亮。康福看清了，刺客果然是自己的胞弟康祿！康福非常驚奇，便在後面喊道：「兄弟，你停下來，我是你哥康福！」

康祿在前面邊跑邊答：「哥，我早就看出你了。這裏不能說話，曾家人會追上來。前面拐彎處有一大片樹林，我們到裏面去。」

又跑出四、五里路遠，康祿、康福一先一後進了樹林。兄弟二人停下，在林中對坐。康福問：「兄弟，這是怎麼回事？你爲何要謀刺曾大人？」

「我慢慢跟哥細說吧！」康祿借著熹微的晨光，凝視著闊別多時的兄長說：「哥離家一個多月後，洞庭湖漲大水，屋也垮了。我不知哥在何處，便和另外兩位鄰居結伴離家外出謀生。在外打短工，賣苦力，也難得一飽。有時想起自己空有一身本事，眞寃枉了。莫說做一個頂天立地的男子漢，就是求得溫飽都做不到，這樣活著眞受罪。半個月前，我在瀏陽城外遇到一支人馬，個個背刀拿槍的，威風凜凜，頭上包著紅黃包布。我想，這幾天風傳長毛打過來了，這不就是長毛嗎？看他們挺胸昂首多神氣！我有武功，只要參加進去，定會比別人立的功勞多，日子過得會比現在舒心。不過我轉念一想，爹一向教導我們，爲人要堂堂正正，不義之財不能取，損人之事不能爲，假若長毛眞如官府所說的殺人放火，强搶擄虐，即使日子過得更好，我也不能和他們同流合汚。爲了試一下他們，我裝病躺在路旁，這時又有一支隊伍過來，立時有幾個長毛走出隊伍，來到我身邊說長道短，有人說這人病了，有的說這人或許是餓的。一會，隊伍中走出一個四十來歲的漢子，看裝束，像是他們的頭領。那人從腰間取出一個小小的扁瓷瓶子，從瓶子裏倒出幾粒黑丸子，放到我口裏。又從身旁一個小長毛手上拿過葫蘆，將葫蘆中的水倒進我口中。說也奇怪，我本沒病，但吞下這幾粒黑丸子，覺得心裏蠻舒服。那人和氣地問我：『小兄弟，好些嗎？』我點點頭。他又說：『小兄弟，如果你能走路，最好和我們一起走段路，我們今晚就宿在前面不遠的屋場裏。在那裏埋鍋做飯，你吃點熱湯熱飯，病就會好的。』我心裏想：都說長毛凶惡，這個長毛爲何這樣和善可親？我跟他們一起向前走。旁邊一個和我一般年紀的小長毛對我說：『這是我們的金一正將軍羅大綱。』我說：『羅將軍眞好！』他說：『我們太平軍中的好人多得很。』我同那個小長毛聊天，得知他是全家投奔太平軍的，太平軍要殺掉貪官污吏，推翻朝廷，讓人人有飯吃，有衣穿；太平軍中凡男子都是兄弟，凡女子都是姊妹，大家都信上帝，都是上帝的兒女，人人平等。這些話說得我心癢癢的，心想：倘若天下今後是這樣的，那豈不是眞正的太平了嗎？這樣的軍隊好，我決定投靠他們。我從他那裏懂得許多新道理。到了宿營地，我見他們不搶不燒，也不威嚇當地百姓。吃完飯，我找到羅將軍，要跟他們一起幹。羅將軍爽快地答應了，問我有什麼本事。我說棍棒刀槍，樣樣都會，並當場表演幾手，羅將軍見了哈哈笑。立即說：『好小子，你的本事很高，你這幾天暫時跟著我，等立了功，我升你做旅帥、師帥。』我們到達長沙，先頭部隊已經包圍好些天了。羅將軍要我送封信給瀏陽征義堂。五天後我回來了。羅將軍說他這幾天到益陽、寧鄉去了一趟，在路上捉了清妖一個大頭頭，名叫曾國藩。我忙說：『曾國藩我知道，是個大官。』羅將軍問：『你認識他？』我說：『沒見過面，只聽說過他。他現在在哪兒？』羅將軍說：『可惜，他已逃走。他死了娘老子，一定回湘鄉老家去了。我現在忙著打仗，沒有空，若有空，我要追到湘鄉去殺了他，也算是一個大功勞。』我自思這是立功的好機會，便向羅將軍討了這樁差使。昨晚我來到白場坪，打聽到曾國藩也是昨天到的，正在靈堂守靈。靈堂裏燈火通明，人來人往，不便動手。我一直匍匐在高牆上，等待時機。好不容易等到曾國藩出了靈堂，我趕忙放出一鏢。誰知鏢一出手，便發現哥哥你！我心裏很納悶，哥怎麼在這裏？既然哥哥在此，我便不發第二支鏢。倘若不是因爲哥哥在，曾國藩今天就沒命了。哥，你怎麼來到曾府的？」

康福便把這一路來的經過大致說給弟弟聽，並勸告弟弟：「兄弟，我看曾國藩不是那種殘民害國的貪官污吏，他是一個有學問、會識人的好官，你和我一起投靠曾國藩如何？」

康祿正色道：「哥，你這話差了。曾國藩是貪官是清官，你也不清楚，姑且不談。這滿人所建的清王朝，卻是一個道道地地的壞朝廷。這點，哥以前也對我說過。曾國藩替滿人效力，壓迫我們漢人，你說該殺不該殺？我看哥哥還是就此和我一道投奔太平軍，到羅將軍麾下去殺賊立功。以哥的本領，要不了幾年，就可以在太平軍中當將軍、總制。」

兄弟倆爭來爭去，誰也說服不了誰。康福擔心時間一久，會引起曾府的懷疑，便說：「自古以來，兄弟不同道的多得很，既然爲兄的不能勸說你，那我們就各走各的路吧！只是有一點，不論在哪邊，我們都要謹遵父命，不作傷天害理、辱沒康氏清白家風的事。」

「哥說的是。我走了，哥多珍重，後會有期。」

說罷，兄弟分手。康福直到看不見弟弟的背影後，才轉身跑回曾府。

旅途勞累悸栗，加之熬了一夜，又添上這一番驚嚇，曾國藩病倒了。就在曾國藩病臥床上的時候，省城長沙已陷於猛烈的炮火之中。

第二章　長沙激戰

一　城隍菩薩守南門

咸豐二年二月，從永昌突圍出來的太平軍將士，在天王洪秀全「上到小天堂，凡一概同打江山功勛親臣，大則封丞相、檢點、指揮、將軍、侍衛，至小亦軍帥職，累代世襲，龍袍角帶在天朝」的詔命鼓舞下，北上荔浦、陽朔、桂林、興安，從全州出廣西境，一路驚天動地地殺進湖南。兩個多月時間裏，相繼攻克永州、道州、江華、永明、寧遠、藍山、嘉禾、桂陽州、郴州等府州縣，駐守在永州堵防的湖南提督余萬清、游擊瞿我謙，在太平軍未到之前便棄城逃命。道州知州王揆一、永明知縣常連亦倉皇出逃。江華知縣劉興桓、訓導歐陽高，桂陽州知縣李啓詔被活捉殺頭。巨大變動，震動湖南全省，也震動了朝廷。咸豐帝急命欽差大臣大學士賽尚阿、欽差大臣原廣西提督向榮火速追擊。等到太平軍攻下郴州後，賽尚阿才趕到永州，而向榮又與賽尚阿意見不合，稱病居桂林按兵不動。湖廣總督程矞采則奉命進駐衡州。朝廷又調廣東高州鎮總兵福興帶兵三千協助程矞采。爲了要福興賣命，又趕緊提拔他爲廣西提督。清廷料定太平軍會從衡州北上，準備在衡州與郴州一帶採取南北夾攻的戰術，將太平軍消滅在湖南。

天王洪秀全、東王楊秀清洞察清廷陰謀，改道走永興、安仁、茶陵、攸縣一路，七月底的一個夜晚，在攻克醴陵後，西王蕭朝貴、翼王石達開率領五千先鋒隊，神不知鬼不覺地一舉全殲駐長沙城外二十里的石馬舖一千官軍。次日清晨，軍威凌厲的太平軍將士來到長沙城下。僅在太平軍來到城牆邊一頓飯功夫前，城裏才得到消息。因丟失數州縣被革職尚未卸任的前巡撫駱秉章，火速下令緊閉七門。長沙城在明代時曾有九門，由北向東向南向西依次爲：湘春門、新開門、小吳門、瀏陽門、黃道門、德潤門、驛步門、潮宗門、通貨門。清初新開門、通貨門堵死，便只剩下七門了。其中湘春門俗稱北門，黃道門俗稱南門，德潤門俗稱小西門，驛步門俗稱大西門，潮宗門俗稱草場門。這時，蕭朝貴、石達開來到了南門外。一年多以前尚是紫荊山燒炭佬，今天已坐太平軍領袖第三把交椅的三十二歲漢子蕭朝貴，佇馬察看南門外地勢。見妙高峯拔地而起，林木繁茂，如同一座巨大的營壘紮在南門外，但山上却無一兵一卒。朝貴心裏冷笑：「清妖用兵如此，豈有不敗之理！」他要親兵傳令，將大營設在妙高峯上，立即構築炮台，加緊攻城部署。

就在這個時候，位於長沙城北又一村附近的巡撫衙門裏，緊急軍事會議正在召開。駱秉章雖被革職，但新巡撫張亮基剛卸下署雲貴總督的職位，尚奔走在昆明至長沙的路上，他只得照舊管事。駱秉章在官場中浮沉二十來年，知道倘若長沙城保不住，那就不只是革職的事，而是要殺頭的。他深恨太平軍來得太快，若晚來十天半月，張亮基進了長沙，他就可以避開這個是非之地了，現在只得硬著頭皮來應付。參加會議的有布政使潘鐸、按察使岳興阿、長沙知府梅不疑、長沙縣令陳必業、善化縣令王葆生。還有一位羅繞典，安化人，本是湖北巡撫，現丁憂在籍。因這兒個月多事，羅繞典又是有名的幹員，駱秉章便請他到長沙來幫忙。另外還有一個重要人物，就是接著余萬清任提督的鮑起豹。派人去請，却不知到哪裏去了。駱秉章不能等他。先分析長沙城裏的兵力：老弱病殘全加在一起尚有八千，另有江忠源的五百楚勇，號稱勁旅，但可惜人太少。

「雖說有八千多人，怕也不是長毛的對手。」駱秉章憂慮地說。這段時期，駱秉章被長毛嚇虛了膽，當了二十來年的官，還是第一次遇到大仗。從淸晨到現在，驚魂未定。

「中丞不必憂慮。」說話的是善化知縣王葆生，向來以知兵自命，他以爲施展才能的機會到了，「現在就打開府庫，一面發放刀槍，一面發放銀錢。凡男子五十歲以下，十五歲以上的一律編排起來，分成幾班，輪流守城。以長沙城居民之多，募三萬、五萬不成問題。卑職願承辦此事。」

駱秉章對王葆生危急時刻能慷慨任事，甚爲感激：「王明府主意很好。不過，民衆平日未加訓練，臨危集中，畢竟只是烏合之衆。」

「烏合之衆也好，可以壯兵丁之膽。」潘鐸很贊賞王葆生的建議。

「王明府的辦法立即照辦，但還有更重要的一手。」這是羅繞典在發言，大家都轉而聽他的，「火速派人出城到湘潭去，調鄧紹良帶兵來救援。鄧紹良的三千鎮筸兵才是眞正的精兵。」大家都說好，駱秉章立即叫巡捕派人出城。

「成天說堵長毛，堵它個雞巴！」一個粗野的聲音從門外傳來。「砰砰」一聲，門被推開，一陣風似地闖進一個五大三粗的黑漢子，「長毛到了眼皮底下還不曉得，都是些混蛋！」

這就是剛接任的新提督鮑起豹，是個凶蠻粗俗、不通文墨的武夫。大家都知他的爲人，也不計較。駱秉章請他坐下，他一屁股坐在駱秉章的身邊，一邊「呼赤呼赤」地出大氣。

「還有，」翰林出身的羅繞典很瞧不起毫無教養的鮑起豹，按理這時應請這個水陸提督先說，但他還是繼續未完的話題，「再派人到衡州稟告程制台，叫福興將軍火速帶兵北上護省垣。」

「福興的兵不能動。」鮑起豹見羅繞典無視他這個提督，心中很是惱怒，他急不可耐地打斷羅繞典的話，「福興的兵應駐在衡州防長毛。長毛兵多，還有不少在衡、郴一帶。衡州兵一撤，就爲長毛開了一道門。」

「鮑提督的話有道理。」駱秉章說。受到駱秉章的稱贊，鮑起豹說得更起勁：「各位不要驚慌，長沙不是永州，我鮑某人也不是余萬清！長毛想在我這裏討便宜，眞他媽的瞎了眼！各位不要怕，現在長沙城裏的駐兵都已上了城牆。長沙城牆又高又厚，長毛是絕對攻不破的。我今天一早到了城隍廟求籤，求得一個上上吉籤。各位就放心好了，長沙由我鮑某人擔保。」鮑起豹說得唾沫四濺，衆人却不敢相信。

「鮑某人尚有一奇策，早就想好了，現當危急，正可大用。」衆人不知他肚裏有什麼好主意，全都聚精會神地聽他講下去。「不知各位知道不知道，長毛信的是上帝邪教。每臨陣作戰，總有天父天兄暗中庇護，故一路攻城掠地，連連得手。鮑某人想，長毛的上帝邪教，豈能敵我中華聖教！我早就聽說過，長沙城隍菩薩向來靈驗，有求必應，法力無邊。長毛若攻破長沙，菩薩也要蒙難，他如何會連自身都不顧？我早想好了，長毛若來長沙，我就搬請菩薩大駕。所以我今天一早就到城隍廟去，懇請菩薩保佑。菩薩已賜上上吉籤，就是明明白白地答應了。菩薩駕臨南門，必可以正驅邪，使上帝失靈，長毛敗陣。」

鮑起豹說得神乎其神，羅繞典等聽了冷笑不止，但都不反駁他。一則他們知道這個莽提督一慣驕悍跋扈，不能得罪，更何況戰火已燒到眉毛，正要靠他出力。再則神道設教，自古來便是愚民的好辦法，既然長沙士民都信城隍菩薩，說不定眞的把泥菩薩抬上城門，能給守城軍民增强信心，豈不大好！於是大家都點頭稱是。

鮑起豹回到提督衙門，煞有介事地作了布置，又命廚房不送葷菜，當天夜晚也不跟姨太太睡在一起，另鋪一張床放在平時供打牌用的房子裏。第二天早起，洗了澡，換上一身乾淨布衣，帶著一百名兵士，燃著香火來到賈太傅祠旁的城隍廟，吩咐擺上蠟燭供果，鮑起豹跪在菩薩泥像面前，口中念道：「弟子鮑起豹爲使長沙全城百姓免於兵火之災，特恭請菩薩大駕光臨城南，施展法力，消滅長毛。功成後，弟子將重建廟宇，再塑金身，令長沙軍民常年供奉，香火不絕。」

祝畢，鞭炮轟鳴，百名兵士一聲吆喝，將菩薩抬出廟門，浩浩蕩蕩地向南門走去。惹得沿途百姓都走出屋來，站在街兩旁觀看，有的趕緊從家裏抬出桌子，點上香燭，跪拜叩頭。到了南門口，又小心翼翼地抬上城樓，菩薩面南而坐，兩眼睜睜地望著妙高峯。鮑起豹恭恭敬敬地帶著將士們又跪下磕頭後，便下了城樓，單等太平軍攻城時，菩薩施無邊法力，救全城生靈。

二　康祿最先登上城牆

南門外的妙高峯，其實並不高，準確地說，它只是一個土堆罷了，就和城東郊的馬王堆一樣。但它比馬王堆的命好，它緊靠南門，處於長沙城熱鬧的地方。在鬧市區有這麼一座地勢稍高，又林木葱郁的山丘，更顯得難能可貴。歷代文人雅士，都喜歡在這裏登高賦詩。當年吳三桂占據長沙時，陳圓圓已經老了，八面觀音、四面觀音成爲他的愛妾。吳三桂常常攜帶兩個觀音在妙高峯上遊憩。頂峯藥王廟前的坪中，至今還留下爲吳三桂造的石桌石凳。傳說吳三桂與八面觀音、四面觀音，時常在此對奕，石桌上刻的棋盤還清晰地保留著。這幾天，藥王廟已成爲太平軍攻城指揮部。現在，蕭朝貴、石達開、羅大綱、林鳳祥和李開芳等人，就坐在石桌四周，商討攻城的策略。

朝貴說：「長沙是我們起義來攻打的最大一座城池，地位遠在桂林之上，打下長沙，意義非同小可。不過，長沙城牆高大而堅固，現在城門緊閉，防守森嚴，强攻不易。各位有何意見，盡管講。」

達開說：「長沙自古爲軍事要地，今日一看，果然名不虛傳。打下長沙，將會震動清妖朝廷，鼓舞全軍士氣，影響很大。但現在長沙已處於戒備之中，當以正面强攻和側面挖牆相結合。此次在郴州，幸得劉代偉以千名礦工兄弟前來聚義，這是天授我們攻破長沙以妙法。明日我們率兄弟攻城，主要任務不在攻破，而是吸引城上官兵的注意力，並以此試探城內兵力虛實。代偉兄率領土營兄弟在城牆脚下挖洞，待洞挖好後，再放置地雷火藥，炸開城牆，猛沖進去。」

劉代偉站起來大聲說：「翼王殿下此計最好，開洞打眼，是我們本行，原以爲當兵用不上，這次可起大作用了。我今日就從土營中挑選一百五十名强壯的年輕人，分五個地方，輪班開洞，天亮之前埋好炸藥，明天保證讓大軍進城。」

衆人都拍手稱好。金官正將軍李開芳說：「聽說清妖提督鮑起豹只一味貪婪凶狠，其實並不會治軍，衆人也不甚服從指揮。城裏官多兵少，調度不靈。目前正是攻城的良好時機。」

達開說：「鮑起豹不足畏，但楚勇頭目江忠源乃湘人中極狡悍者，全州蓑衣渡之戰，證明其實戰能力不在你我之下。且駱秉章老成穩重，亦不可輕視。」

朝貴說：「就按翼王的安排，今日先分兵佯攻，天黑下來後，代偉兄便去挖洞，明早全力以赴。」

正商量間，遠處傳來一陣劈劈啪啪的鞭炮聲，親兵指著南門方向說：「各位王爺、將軍請看，清妖在城樓上耍花招了。」

蕭朝貴等人站起來，手搭涼棚朝北邊望去。此時正是鮑起豹跪在菩薩面前磕頭的時候。大家都莫名其妙，忽聽得石達開一陣哈哈大笑，說：「清妖已黔驢技窮，請來泥菩薩守城。」一句話提醒，衆人都一齊笑起來。

下午，土官正將軍林鳳祥、金官正將軍李開芳等人率領三千人分別從南門、瀏陽門、小吳門、金鷄橋等處攻打，不斷向城中投射火箭、火彈。長沙城內凡能打仗的士兵全部上了城牆，老百姓也有許多被驅趕上戰場。全城惶恐不安。仗打得很激烈。到天黑時，太平軍停止攻城。這時，劉代偉已從南門到小吳門一帶佈下五個開挖點，正在緊張地挖洞。城牆上的官兵對此一無所察。

卯正，軍營中吹起嘹亮的軍號，接著鼓聲四起，火炮齊發，太平軍五千名將士，威風凜凜地對長沙城再次發起進攻。南門到小吳門一帶城牆邊架起無數雲梯，留著長頭髮，紮著紅絲線的勇士們一手拿刀，一手扶梯，像猿猴般敏捷地爬上去。但可惜，所有爬到城牆上的太平軍士兵都被守兵砍倒，從牆頭摔下來；後面的人接著上去，又很快從雲梯頂端處掉下來。石達開坐在馬上，看到這個情景，一陣陣心痛。突然，他看到一個瘦小的兄弟爬到雲梯頂端，一個清兵挺起丈八長矛向那人戳去。那人手一揚，清兵「哇」地一聲仆倒。那人異常靈敏地跳上城牆，輪起手中大刀，邊砍邊前進，慢慢靠近了城隍菩薩。他從背上取下兩個特大的竹筒。將竹筒裏的油向菩薩身上潑去，然後又搶過一個飛上城樓的火彈，擲向菩薩。霎時間一片火起，烈焰騰空，城隍菩薩已坐在烈火之中了。旁邊的清兵嚇得目瞪口呆，正在攻城的太平軍高聲歡呼，軍威猛振，趁此機會，數百名兵士衝上城牆。石達開將這一切看在眼裏，暗暗叫了聲「英雄」。此時，城牆脚跟響起一陣悶雷似的爆炸聲，石達開立即策馬奔向那裏。

五個城牆洞都炸響了，但有三個並沒有炸開大的缺口，很快便被清兵堵上，只有靠近小吳門的兩個炸開了三、四丈寬的口子。太平軍在林鳳祥指揮下，吶喊著湧向這兩個缺口。雙方在這裏展開白刃格鬥。有幾百名士兵已衝過缺口進到城裏，後邊的士兵也喊著向裏衝。屍首堆積在缺口邊，擋住通道，鮮血把牆磚和泥土染成暗紅色。太平軍眼看就要大批衝進城裏，然後，後面殺過來一股強大的人馬，戰鬥的重心很快就由陣頭轉向陣尾。

原來，這是駱秉章從湘潭搬回的救兵。由雲南楚雄協副將鄧紹艮率領的三千鎮筸兵，日夜兼程，在戰鬥最緊張的時刻趕到了長沙。蕭朝貴和石達開沒有料到南邊的救兵會來得這樣快。雙方激戰一場，鄧紹艮帶兵衝進城。蕭朝貴傳令收兵。

吃過晚飯後，石達開命人查找到了今天衝上南門城樓，火燒城隍菩薩的勇士。親兵把他帶進藥王廟時，石達開仔細地看了看他：這人約莫十八、九歲，五官端正，面皮白淨，中等個子，單薄的身材。看著石達開盯著自己，那人有點不好意思。石達開親熱地問：「小兄弟，今天是你放火燒了那個爛菩薩嗎？」

「回稟翼王殿下，是小的燒的。」那人雖面容靦覥，但回話清晰。看得出，他心中並不甚懼怕這位指揮三軍的王爺。

「你叫什麼名字？哪個地方人？」

「小的叫康祿，湖南沅江人。」

「今年多大年紀了？擔任什麼職務？」

「小的今年十九歲，在金一正將軍羅大綱手下當一名聖兵。」

這樣智勇雙全的英雄，居然只是普通士兵，太可惜了。達開把康祿著實誇獎一番。說他今天爲攻城立下了大功，鼓勵他好好幹，日後前程遠大。最後對他說：「康祿，從現在起，你就是卒長了。」

康祿沒有想到，一瞬間便連升三級，由普通聖兵成爲一個統領上百人的軍官。他跪下磕頭，異常激動地說：「謝翼王殿下恩賞。康祿爲天國事業，雖肝腦塗地，矢志不渝！」

三　今日周亞夫

鄧紹良進城不久，綏寧鎮總兵和春也從廣西抽調來長沙。接著，貴州鎮遠鎮總兵秦定三、河南河北鎮總兵王家琳、副都統銜頭等侍衞開隆阿等都相繼進長沙。張亮基也趕到了長沙，接替駱秉章當起湖南巡撫來。長沙城裏又增加四五千兵，闔城官紳稍微舒了一口氣。但都是倉促間從各地調來的，紀律鬆弛，調度不靈。更令張亮基擔憂的是，一時間進來這麼多的兵，軍餉從哪裏開支？這些奉調進城的綠營兵，一來就公開揚言：「老子是拿性命來守城的，你當官的不拿銀子出來，老子就不給你守。長沙城丢了關我屁事！」

爲了穩定軍心，張亮基與潘鐸等商量，決定守城兵士每人由原來的每日三錢銀子增加到每日五錢，軍官則加倍發放。細算一下，新增的餉銀和軍火、馬匹、甲仗供應等費用，每天要增加五千兩銀子。這些銀子從哪裏來呢？張亮基一上任便遇到難題。他終日愁眉苦臉，却無良策，只好將藩庫裏凡能動用的銀子都拿出來，先兌現十天半月再說。

銀子關下去後，各地救援長沙的綠營兵勁頭有點提高：上城牆的兵多了，巡邏值勤的脚步也加快了。圍城的太平軍這幾天也停止了攻擊。蕭朝貴派人把城內救兵增加的消息，告訴正率領大隊人馬前往長沙的天王和東王，要求速派一萬兄弟兼程前來增援。在援兵未到之前，太平軍戰士們抓緊時間構築工事、搬運糧草。長沙城的戰事出現暫時的平靜。

戰事一旦停下來，城裏那些從各地征調來的兵士們便要無事生非了。接連幾天，城內搶劫案、强姦案、凶殺案不斷發生，大部分都是那批拿了銀子不打仗的外省兵幹的。張亮基除一再請求將官們嚴厲約束部下外，拿不出任何有實效的辦法來。他不是不能嚴懲肇事者，但在這種時候，他能那樣辦嗎？一旦激起兵變，後果豈堪設想！張亮基、羅繞典、潘鐸只得天天分頭親自巡邏，希冀以此稍減城裏的騷動。

這天，張亮基從巡撫衙門出來，穿過又一村，來到貢院街。貢院街本是長沙城裏最熱鬧的一條大街。往日店舖櫛比鱗次，各方商賈雲集，但眼下大部分店門緊閉，街上人行走匆匆，生怕走慢了，會冷不防被人刺上一刀似的。常常撲入眼簾的，是那些醉眼矇矓、斜袴佩刀，操著貴州、河南、陝西、湖北口音的援兵。人們見到這些老總們，猶如見到瘟神，老遠就避開了。張亮基看在眼裏，禁不住兩眉緊鎖。

貢院街的盡頭是東正街，東正街的盡頭是小吳門。張亮基來到小吳門，忽然眼前一亮，看到的完全是另一番景象。但見這裏市井秩序井然，城頭上旗幟鮮明。小吳門守兵對進進出出的人盤查仔細。張亮基想起，小吳門一帶原來是陝西候補知府江忠源率領的楚勇在守衞。他如同在這裏看到史書上所寫的細柳營，心中感嘆道：江忠源眞是個將才！

還是在署理雲貴總督任上，張亮基就多次聽說過在廣西打仗的江忠源的名字，於是留心打聽。知道江忠源是湖南新寧人，字岷樵，早年是個喜愛狹邪行的風流蕩子，後來改邪歸正，爲人極講信義。在京城參加會試時，曾兩次護送友人靈柩回原籍，不畏千里長途，雨露風霜，善始善終。那時，曾國藩在京城也愛周濟貧困，尤好爲人撰寫輓聯。故京師士人中流傳兩句打油詩：「代送靈柩江岷樵，包寫輓聯曾滌生。」因爲這，曾國藩與江忠源結爲好友，並預言他日後會以功名立天下，最後將以節烈死。曾國藩在咸豐帝登位時，向朝廷推荐六個人才，江忠源便是其中之一。正因爲江忠源有這個名氣，當金田事起，賽尙阿奉命以欽差大臣督辦廣西軍務時，便請他出來贊襄軍務。這時，江忠源正由浙江秀水知縣任上丁父憂住在新寧。於是江忠源在新寧募勇五百，號爲「楚勇」，隸屬於副都統烏蘭泰。咸豐元年十一月，賽尙阿指揮十營淸兵圍永安。廣西提督向榮統北路，烏蘭泰統南路。向榮的幕僚建議：「自古圍城，當缺一隅，否則困獸之鬥不可擋。」向榮聽從幕僚的話，在北面的包圍圈中空出一門。江忠源聽說，急忙派人送信給向榮，力諫圍師缺隅之非，請向榮合圍。向榮不聽，結果太平軍從永安北門突圍而去。待向榮明白過來時，已悔之晚矣。二月，洪秀全攻下全州，乘湘水上漲之機，從水路進入湖南。江忠源率楚勇趕到全州蓑衣渡。此地湘水狹窄，兩岸多林木，江忠源伐木作堰，橫江攔斷，使太平軍在蓑衣渡一戰損失慘重，船隻幾乎全部被焚，南王馮雲山中炮殉難。這一仗，是清朝與太平軍作戰以來所取得的第一個大勝利，使得江忠源之名傳遍全國，也使曾國藩得知人之美名。

「我來到長沙已半個月，居然沒有早點來拜見江忠源，眞是昏憒。」張亮基在心中說。

在張亮基將到小吳門時，江忠源早已由親兵告知，親到東正街尾迎接。

「中丞大人駕到，卑職有失遠迎！」江忠源恭恭敬敬地問候。

「江將軍客氣了。亮基久聞將軍威名遠播，今日一睹丰采，平生之願足矣。」張亮基微笑著打量江忠源，見他約四十來歲年紀，堂堂一表，從心底裏喜歡。

「卑職不過湘中一寒微，謬承大人獎勵，不勝赧愧！」

「亮基一早從又一村到東正街，所到之處，混亂不堪。獨到將軍治下，氣象一新，彷彿來到細柳營，會晤了周亞夫。」張亮基說罷，拉著江忠源的手，哈哈大笑。

「大人過獎！請進屋喝茶。」

江忠源把張亮基請進一家南雜店改建的營房。江忠源早就聽說過，張亮基是個當今官場中罕見的清官。當年林則徐因燒鴉片事謫襄河務，那時張亮基正以中書從王鼎治河工。某河弁悄悄地送三千兩銀子給張亮基。張亮基拒絕接受，不過也並未聲張出去。但此事林則徐卻知道，暗中記在手册上。後來張亮基升爲永昌知府，林則徐見到張亮基非常高興，特地把手册拿出來，告訴張，某年某月某日，拒絕河弁私送之銀三千兩。張大驚，對林尤爲敬佩。後來林向道光帝竭力推荐張。從此張亮基步步高升，不數年而位至督撫。江忠源很敬重這位上司。他請張亮基上坐，並親手獻上一杯茶：「大人不辭勞累，親到各處巡查，楚勇官兵極受鼓舞。」

張亮基想，正好趁此機會跟江忠源商討下一步的戰事。於是他以極爲誠懇的態度說：「亮基初來貴鄉，情況不熟，且承平日久，未厲兵事。今日局勢萬分危殆，將軍不獨湘人之翹楚，亦吾國稀見之將才，亮基欲與將軍長談。務望將軍以破賊之方，不吝賜敎。」

江忠源欠身答道：「保衞桑梓，乃卑職義不容辭之責任。大人於此危難之際來到長沙，三湘士民，莫不感激忭躍。今日垂詢，卑職豈有不竭盡所知而獻芻蕘之理。」

張亮基說：「目今僞西王蕭朝貴僞翼王石達開以五千餘人馬扎於城南，幾次攻城，雖賴城高牆厚、將士用命，暫未得手。然長毛增援部隊即將來到，揚言定要攻下長沙，城內人心洶洶，兵士們亦內心恐懼，若不思良策，長沙城破，恐爲期不遠。」

江忠源對道：「長毛造反，已近兩年，朝廷為此糜餉至二千萬之多，然從廣西到湖南，人無固志，地罕堅城，朝野莫不失望。卑職這一年來側身戎間，深為綠營將不良、兵不精、法不嚴、令不一、心不齊、戰術低劣，遂使長毛坐大氣勢猖獗而痛心疾首。卑職以為，長毛並不足畏，但釀成今日之局面，除諸多原因之外，帶兵將帥舉止失措，實為其中重要原因。兵誌曰：『不知地利不可行師。』地利者，非僅圖史所載山川一定之險地也，視賊出入之踪而先為之防，察賊分合之勢而遙為之別，雖漸車之澮、數仞之岡，形勢在所必爭，機會不可偶失。但兩年來，我軍要地之疏防，機宜之坐失，實已指不勝屈。全州蓑衣渡之戰，賊鋒已挫，本應連營河東，斷賊右臂。道州之役，賊勢本孤，宜分屯七里橋，扼賊東竄。苟此兩役地利不失，長毛一入湖南，便可將其置於死地。此次長沙被圍，亦因失地利之故。若在長沙東面榔梨市至回龍塘一帶設重兵堵防，長毛就不會出現在長沙城下。若在妙高峯上駐有一支人馬，南門外的制高點便不會被長毛奪去。此兩地利一失，局面則由主動而變被動。」

江忠源這番話，使得張亮基既覺得有道理，又更添憂愁。江忠源見張亮基滿臉陰雲，於是掉轉話頭：「不過，大人亦不必憂慮。長毛氣焰雖囂張，但卑職料他們一時難破長沙。」

張亮基精神一振，忙說：「請將軍明析。」

江忠源說：「自接仗以來，我軍處於不利，非實力不足，乃指揮失誤。卑職以為，只要改變目前敵攻我守之被動局面，戰事即有轉機。卑職建議，只留少數兵力守城，大部分精銳人馬拉出城外，在城外乃至城郊與長毛決戰。如此，則城內壓力可大大減輕。長沙現有兵力一萬三、四千，當率一萬人出城。和總兵兵力最強，以他的三千精兵紮營東門外，秦總兵率二千人紮營西門外，開隆阿將軍率二千人紮營北門外，卑職願自率五百楚勇和二千五百名綠營兄弟一起正面擋賊鋒。」說罷，江忠源走到懸掛在牆上的長沙地形圖邊，指著地圖說，「大人請看，這是城南天心閣，乃長沙城的另一制高點，此處當佈置強大火力，控制南門外，長沙城內那座五千斤重的炮王須在近日內移來。天心閣對面為蔡公坟，與天心閣對峙，可以屏蔽東南兩面。此處即孫子所謂的『爭地』。妙高峯亦為爭地，惜已被長毛占去，此處再不能丟了。卑職將紮營蔡公坟，挖壕築壘，與長毛決一死戰。區區芹獻，僅供大人參考。」

張亮基聽江忠源說出這番話來，心中十分敬佩，說：「將軍用兵，遠勝吾儕。適才聽將軍高籌碩畫，亮基茅塞頓開，連日憂慮為之一掃。來日就召開軍事會議，按將軍的設想部署，局面必定會有改觀。亮基還想到，從出城的這四支人馬中尚需抽出數千兵力，截住長毛增援部隊，不使他們靠近長沙。」

「大人想得很周到，截擊援師，此著最好。」

「將軍調遣兵力，善從全局著眼，實在高明。亮基想古之諸葛亮，處於今日地步，其籌謀部署亦不過如此。」

「大人言重了。卑職何等樣人，豈敢與諸葛亮比。不過，經大人一提，卑職倒想起有人跟我說過，湖南有三亮，得一亮，三湘可治。不知大人可曾聽說？」

「實不曾聽說，請將軍詳言。亮基雖比不得當年劉玄德，亦願效法前賢，重金相聘。」

江忠源緩緩地說：「這三亮之說，雖在湖南士人中流傳，然多不相信，卑職亦不盡信。三亮即老亮、小亮和今亮。老亮者，羅澤南也，他目前正在湘鄉練勇。小亮者，劉蓉也。劉蓉是湘鄉一處士，淡泊名利，然對經濟之學鑽研甚深。今亮者，湘陰左宗棠也。」

江忠源一提起左宗棠，張亮基就想起一到長沙時，便收到貴州黎平知府胡林翼的來信，信中竭力推荐左宗棠。張亮基記得信中有這樣的話：「此人廉介剛方，秉性良實，忠肝義膽，與時俗迥異。其胸羅古今地圖兵法，本朝國章，切實講求，精通時務。訪問之餘，定蒙賞鑒。即使所謀有成，必不受賞，更無論世俗之利欲矣。」如眞像胡林翼所說的，那左宗棠也算是當今奇士。但胡林翼和左宗棠是姻親，怕有點言過其實。訪不訪左宗棠，尚未拿定主意，現在正好聽聽江忠源的意見。他說：「湘陰左季高，此人我早就聽說過，請將軍繼續說下去。」

「卑職對老亮、小亮雖然佩服，但竊以為，此乃人們飾美之詞，究不可與古亮相比。獨有這今亮左宗棠，卑職敬佩至極。左宗棠眞可謂人中之龍，其功名雖只一舉人，然經綸滿腹，才華橫絕，當世少有。尤可奇者，此人長期潛心輿地，埋首兵書，天下山川，了如指掌，古今戰事，如數家珍。為人倜儻耿介，意氣豪邁。當今天下紛擾，正是此人建功立業之時。」江忠源想到自己正在向當政者推荐一個可以扭轉乾坤的英雄豪傑時，很覺自豪，禁不住聲氣高昂，精神振奮，「道光二十九年，林文忠公自雲南引疾還閩，路過長沙，特地遣人至柳庄，招來左宗棠。那夜湘江舟次文忠公與左宗棠抗談今昔，通宵不眠，直到鷄鳴天曉，才依依惜別。文忠公為之傾倒，詫為絕世奇才。」

張亮基平生最為佩服感激林則徐，聽說林則徐如此器重左宗棠，不禁對左宗棠肅然起敬。他說：「這樣看來，左宗棠確有眞才實學，但不知比起將軍來差了幾多？」

江忠源答道：「左宗棠平生所學，乃眞正經邦濟世的學問，決不是那些尋章摘句、唯務雕蟲之輩所可比擬。至於卑職與宗棠比，這可以套用徐庶的一句現成話，眞是以駑馬比驥騏、寒鴉配鸞鳳，百不及一也。」

「將軍竟然如此推崇，日前胡林翼來信也全力荐舉，既然文忠公都詫爲絕世奇才，亮基豈能不爲國家百姓著想，禮聘左宗棠！」

江忠源說：「左宗棠爲人狷介高傲，怕的是非金帛所能動。」

「然則奈何？」

「動此人者，乃大人之誠心也。卑職有個小計策，大人不妨試試。」說罷，江忠源移過身，附著張亮基的耳邊，如此這般地說了一通。

四　歐陽兆熊東山評左詩

傍晚，長沙城內戥子橋陶公館門前，來了一隊士兵，爲首的戈什哈對門房說：

「相煩轉告陶公子，撫台大人有一封急信給他。」

門房不敢怠慢，把來人迎進客廳，獻茶後，立即把信送進內室，交給陶桄。

陶桄是前兩江總督陶澍的獨生兒子，左宗棠的女婿，原籍安化小淹，這時正寓居長沙。說起陶、左兩人結兒女姻親這樁事來，眞是一段佳話。

陶澍少年得志，功名順遂，二十五歲便中進士，以後歷任地方要職，晚年做到兩江總督。

在任期間，救荒治淮，疏浚河湖，首開海運，改革鹽政，是道光年間一代名宦。他多次微服私訪民間，秉公處理命案。在湖南老家，士人對陶澍極爲崇拜。與陶澍比起來，左宗棠的地位就差得太遠了。左宗棠二十一歲中舉後，會試蹭蹬。第一次報罷。第二次已被取爲第十五名。但因湖南多中了一名，便把他的名字刷了下來，補上湖北一名，僅把他取爲謄錄。左宗棠不屑於當個區區抄寫員，拂袖南歸，在家努力鑽研史地、荒政、鹽政等經世之學。道光十七年，左宗棠主講醴陵淥江書院。這一年，陶澍總督兩江，到江西閱兵，順路回家省墓，經過醴陵。縣令請左宗棠爲陶澍下榻之處撰寫楹聯。左宗棠筆走龍蛇，瞬時揮就：「春殿語從容，廿載家山印心石在；大江流日夜，八州子弟翹首公歸。」這副對聯，既表達故鄉人對陶澍的景仰和歡迎，又道出陶澍一生中最引爲得意的一段經歷：道光十五年十一月底，道光皇帝在乾清宮十四次召見陶澍，並親筆爲其幼年讀書的「印心石屋」題匾。這件事，陶澍認爲是曠代之榮。當時陶澍見了這副對聯，激賞不已，立即把左宗棠請來，滿口稱讚。左宗棠本仰慕陶澍，他一肚子經世濟民的想法，平日恨無處傾吐。這下見了陶澍，巴不得全部倒出。於是半是請教，半是顯示，從學問談到國事，從鹽政談到海運，足足與陶澍暢談一夜。陶澍爲家鄉有這樣的不凡之材而十分高興。那年陶澍五十九歲，左宗棠才二十六歲。陶澍認定左宗棠日後的前程會超過自己，竟不顧相差三十幾歲而與之訂忘年交。

第二年，左宗棠第三次會試報罷。陶澍時已重病在身，一再邀請他到江寧去，要以大事相託。南歸時，左宗棠繞道到了江寧陶澍知自己不久人世，以尚在髫齡的獨子陶桄託付左宗棠，並主動提出與之聯兒女姻。左宗棠認爲自己無論從地位，還是從輩分來說，都不能與陶家聯姻，堅執不肯。陶澍握住左宗棠的手，說：「三十年後，你的地位必在我之上。我宦游大半生，還沒見過超越你的人，請再莫推脫。我死之後，桄兒便如同你的親生兒子，若能教之成才，不辱陶氏家風，則我在九泉之下也就瞑目了。不獨桄兒托付給你，內子不敏，我的家事也全託付給你。」

左宗棠異常感激陶澍的知己之恩，說：「制台放心。既然如此，左宗棠今生當爲教公子成才而竭盡心力。我已經會試三次，看透了官場弊病，從此以後，再不赴京會試，讀書課兒，躬耕柳庄，以湘上農人終世。」

不久，陶澍去世。左宗棠把陶公子接到安化老家，在小淹一住八年，將全部所學悉心教與他。以後，又親自主辦了陶桄的婚事。陶桄也一直把左宗棠視同自己的親生父親。

這時，陶桄拆開信來，粗粗一看，驚得半晌回不過氣來。原來信中說，近來長沙危急，全體官紳士民為保衞長沙，有力出力，有錢出錢。陶家為湖南有名富戶，世受國恩，當此危難之際，應為官民之榜樣。特請陶公子在五日內籌辦十萬銀子，以供軍需云云。

門房見公子呆坐不作聲，弄得丈二金剛摸不著頭。他站在一旁輕聲提醒說：「公子，外面等著回信哩！」

陶桄彷彿驚醒過來，慢慢地說：「你去告訴他們，就說我不在家，請他們先回去。」待來人走後，陶桄立即打發家人陶恭，帶著張亮基的這封信，騎一匹快馬，火速出了湘春門，向北奔去。

湘陰城東六十里外，有一大片逶迤相聯的山嶙，羣峯錯互，山谷深幽。湘陰人泛指這一帶為東山。自從太平軍圍攻長沙，離長沙只有百來里的湘陰，早已人心惶惶。城裏有些財產的人，紛紛把金銀細軟、眷屬遷避到東山。

左宗棠這時也帶著全家老少隱居這裏，住在白水洞。左宗棠二十一歲成親，因家貧，入贅於湘潭岳家。夫人周詒端，字筠心，自小受過良好的家庭教育，頗有才氣，詩詞歌賦，不亞宗棠。夫婦倆暇時以詩詞唱和。有時相與談史，左宗棠遇有記不起的地方，周夫人隨即取出藏書，翻到某函某卷，十之八九不錯。左宗棠曾花一年時間，親手畫了一張全國分省地圖，周夫人爲之影繪。琴瑟之趣，頗近古時易安居士夫婦。周夫人體弱，慮子息不繁，於是左宗棠在二十五歲那年，又納副室張氏。道光二十三年，左宗棠用積年脩脯，在柳庄買下七十畝水田。第二年，舉家從湘潭遷到柳庄。柳庄離東山三十里。左宗棠雖多住東山，但也常到柳庄去看看。

這天，他剛從柳庄回來，鄉人告訴他，湘潭歐陽兆熊先生來訪了。左宗棠一聽大喜，三步併兩步趕回白水洞。

「小岑兄！」還未進門，左宗棠便高聲喊道。

歐陽兆熊與左宗棠是多年的老朋友，過去又同住在湘潭，過從甚密，周夫人、張氏也不回避他。這時，他正坐在書房翻看左宗棠寫的詩文，猛聽得外面喊叫，連忙站起來，已見左宗棠大步流星地跨進了屋。

「稀客！稀客！有一年多沒有見到你了。」左宗棠拍著歐陽兆熊的肩膀，像小孩子似的高興。

「你躲到這大山裏來住，也不給我一封信，叫我往哪裏找你。」歐陽緊緊地握住宗棠的手，好像分別了幾十年。

「你莫誤會，我到白水洞才一個多月。上半年我到長沙，往十里香找你三次，連個影子也沒見到。問問你的侄兒，他也說不準。你眞是浪跡江湖，行踪不定。」

「上半年到匡廬轉了一轉，特地在浮梁給你買了一簍茶葉。眞是好茶。怪不得香山老人作詩，道是『商人重利輕別離，前月浮梁買茶去』。你品嘗品嘗。」歐陽指了指放在書桌上那個用細靑篾織成的小簍子。

「送茶葉給我，多多益善。泡一杯浮梁茶，讀幾首淵明詩，我可就是眞正的隱者了。」左宗棠打開篾簍，用鼻子嗅了嗅，「哦！不錯。」

「你這就說錯了，讀陶公詩，要斟一杯白沙液才是。」兆熊笑著說。

「小岑兄，看來你於詩道還不甚通。你只知道陶公詩中多酒，那是陶公常於酒後作詩之故。這寫詩要酒。元好問說得好：『明月高樓燕市酒，梅花人日草堂詩。』有酒才有詩。至於讀詩嘛，就不能要酒，而要茶。你難道不記得陸放翁的名句：『候火親烹顧諸茶，焚香細讀《斜川集》』嗎？我們現在就來烹茶談詩吧！」左宗棠立即要張氏烹兩杯好茶來。

對於左宗棠的辯才，歐陽兆熊一向自愧不如，於是順著左宗棠的話頭說：「季高，剛才你不在家，我看了你的《四十自定稿》。你何不將它付梓呢？」

「小岑兄，你也太把詩文看重了。付梓如何？付梓就可以流傳下去了？自古以來，詩文寫得好的，何止千千萬萬，但唐宋以後的文人，傳名的有幾個呢？傳名者中，又有幾個眞正是因詩文作得好的緣故呢？所謂人以文傳，文以人傳，實際上，只是文以人傳。就如我的祖父、父親，還有令尊大人，詩文都是一時之俊傑，也刻了幾個集子，但後世有幾個人知道呢？刻與不刻又有多大的差別呢？」左宗棠說到這裏，顯得很激動，歐陽頻頻點頭。略停片刻，左宗棠以極其認眞的口氣說：「日後待我封侯拜相再付梓吧！」

這句話要是從別人口中吐出來，說者和聽者都會當作一句笑話，現在他們都沒有笑。似乎封侯拜相對左宗棠來說，只是早遲而已。

「好吧！就暫不付梓吧！就詩談詩，我尤其喜歡《癸巳燕台集感八首》和《二十九歲自題小像八首》，其憂國憂民之意態，蒼涼悲壯之風格，足可以和老杜《秋興八首》媲美，而其間那股鬱悶不解之氣，更能使諸多懷才不遇的士人引起共鳴。」

「曹雪芹寫《石頭記》，自題『字字看來都是血』。其實，他那些東西算得什麼！我的這些文字，才眞正是血和淚的凝結。這本自定稿，還是這兩天才編成的。筠心是第一個讀者，你是第二個。我是想聽你談談，看你和筠心，誰眞正是我的詩中知己。」

「詩中知己，自然要推嫂夫人。」歐陽邊說邊翻開《四十自定稿》，「我剛才講過，兩個八首我最喜歡，另外還有感春四首也很好。從全篇立意、用字來看，又以這兩首最佳。」歐陽指著《癸巳燕台集感八首》中的第一首和第五首念了一遍：

世世悠悠袖手看，誰將儒術策治安。
國無苛政貧猶賴，民有飢心撫亦難。
天下軍儲勞聖慮，升平弦管集諸官。
青衫不解談時務，漫卷詩書一浩嘆。

西域環兵不計年，當時立國重開邊。
橐駝萬里輸官稻，沙磧千秋此石田。
置省尚煩它日策，興屯寧費度支錢。
將軍莫更紓愁眼，生計中原亦可憐。

贊道：「這才是眞正的廊廟之音，可惜不達天聽！就個別句子來說，『書生豈有封侯想，爲播天威佐太平』，氣魄雄豪；『和戎自昔非長算，爲你豺狼不可馴』，識見超邁……」

「你呀！盡說好聽的，什麼氣魄雄豪，識見超邁。」左宗棠打斷歐陽的話，「『羣公自有安攘略，漫說憂時到草萊』。肉食者自能謀之，我輩有何用？」左宗棠開始憤憤不平了。
「肉食者鄙，未能遠謀。他們若眞有安攘之策，我今天怎麼會到東山來找你。」
「東山可是個好地方呀！『安得東山謝安石，爲君談笑靜胡沙』。湘陰東山也有謝安石，恨無桓溫相邀。」左宗棠氣憤得站起來。
「天生我材必有用。季高，你不要太氣惱了。聽說新來的張撫台是個天才，我看他遲早會用你的。」
「這些老爺們，無事時威風十足，有事時束手無策，都不是共事的人。胡潤芝來信說，已向張亮基作了推荐，勸我莫老死柳庄。我已經死心了，今生今世，長作湘上老農。我今年春上給賀仲肅回了一封信，我念兩句給你聽聽。」左宗棠反背著手，在書房裏邊走邊念，「『東作甚忙，日與佣人緣隴畝。秧苗初茁，田水琮琤，時鳥變聲，草新土潤，別有一段樂意。安得同心數輩來吾柳庄一晤談乎！』只要你們常來我這裏走走，一起飲酒賦詩，煮茗論文，長此一生，豈不甚好。」
「好是好，但這些好處只能讓與別人。你難道忘記令兄的期望嗎？『青毡長物付諸兒，燕頷封侯望予季』。聽說，這還是伯母大人的意願。」

「大丈夫不封萬戶侯，枉此一生。但宗棠生在今世，時運不佳呀！」

歐陽最清楚左宗棠的志向，知道剛才無意間觸動了他心中最大的遺憾，弄得本來談笑風生的氣氛驟然冷落下來，不免有點失悔。恰好，周夫人過來添茶，歐陽立即笑著對周夫人說：「嫂夫人，我給你說段故事吧！」

「好啊！難得你興致高，我成年縮在閨房裏，耳目閉塞，正要聽你講點新聞故事開拓心胸。」周夫人很高興，挨著宗棠的身邊坐下來。

「那一年，我和一個朋友乘舟北上，進京應會試。舟過洞庭湖，在一個小渡口邊停下，天色已晚。那個朋友在伏几作書，我問他寫給誰，他說給內子寫封家信。正在這時，舟子呼他上岸去玩玩。信放在几上，匆忙間未封緘。我那時年輕，好奇心强，想看看人家的情書是怎麼寫的。開頭幾句寫些別後情事，與常人無異。惟中間一段使我感到驚奇。」歐陽停了一下，看到宗棠和周夫人都在聚精會神地聽著，「信中這樣說：有一夜，舟停在僻靜處。到半夜時，忽然水盜十餘人，皆明火執仗入艙，以刀尖啓開我的帳子，我奮起大呼，仗劍與這些水盜搏鬥。衆盜不支，相繼敗走，退至艙外。我又大呼追趕，盜賊嚇得紛紛墜於水中，恨不能游水，眼睜睜地看著他們逃走了。」

「季高，小岑講的那個朋友是你吧？我記得道光三十年，你從洞庭湖託人帶回的信上，寫的正是這樁事，你那次也是與小岑同舟的。」

左宗棠看了看周夫人，沒有回答。

「嫂夫人，此人正是季高，我今天要當面戳穿他。他杜撰這個英勇的故事，其實完全是揑造。季高，你今天要向筠心賠罪，你騙了她整整二十年。」歐陽笑起來。

「我當時眞的完全相信。一方面爲他擔心，一方面又爲他驕傲。我那時想，季高眞是個英雄。今天才知道，原來是假的。」周夫人嗔了左宗棠一眼。

左宗棠悠哉地說：「你這個人眞怪，你當時又未跟我同夢，安知我所爲耶？」

「做夢？」兆熊驚奇地問，「你說你信上所寫的都是夢境嗎？」

「是的，一點不假。」左宗棠詭譎地笑著。

「你把夢境寫得歷歷如眞事，閨閣之中，也能這樣大言欺人嗎？」兆熊很不能理解左宗棠的這種做法。

「哎！小岑，你眞是個痴得可愛的人。」左宗棠嘆了一口氣，正正經經地說，「那夜睡覺前，我偶讀《後漢書·光武紀》，見范曄所敍昆陽之戰，王尋、王邑陳兵昆陽城下，包圍數十重，列營百餘座，旌旗蔽野，埃塵連天，鉦鼓之聲聞數百里，而光武以三千敢死隊終破尋、邑百萬之衆。適逢大雷電，屋瓦皆飛，雨下如注，河水暴漲，溺死者數以萬計，水爲之不流。細思古來數不清的戰役，哪一仗能與昆陽之役相比？光武眞英雄也。如此神飛意動，一覺睡去，當夜即夢水盜來犯。自思光武亦人也，面對百萬虎狼尚且不懼，我左宗棠還怕幾個跳樑小丑不成！瞬時膽氣倍增，便揮刀與之搏鬥，一如當年光武敗莽軍樣，殺得水盜鬼哭狼嚎，片甲不留，心中有一股從未有過的暢意。醒來後，我看著無邊無涯的湖水，頭腦開始清醒。心想：昆陽之役眞有此事嗎？三千兵卒眞可以打敗百萬之衆嗎？光武帝怕是和我一樣，也在做夢吧！又想到前史所載淝水之戰、赤壁之戰、長勺之戰、城濮之戰、牧野之戰，怕也都是夢境吧！前人說夢，後人當眞。一部二十三史，或許有一半是左宗棠舟中鬥水盜的故事。小岑兄，」宗棠拍拍兆熊的肩膀，笑道，「范曄可以杜撰昆陽之役，前人可以杜撰二十三史，左宗棠就不可以杜撰一個小小的英雄故事嗎？你這樣大驚小怪，誠如古人所說的：痴人不可以說夢。」

兆熊本想揶揄一下宗棠，現在反而被他揶揄一頓，覺得有點掃興。繼而一想，宗棠的話寓意極深。看來那信中所言不是一時的率爾操觚，而是心中情緒的借機發洩。想到這裏，兆熊也會心地笑了。

喝一口茶，兆熊又說：「好了，往事過矣，不再談它，我的評詩還沒完哩，還有幾句我也喜歡：『蠶已過眠應作繭，鵲來繞樹未依枝』，耐人尋味；『賭史敲棋多樂事，昭山何日共茅庵』，情趣高潔……」

「哈哈哈」，左宗棠聽到這裏，發出一陣爽朗的笑聲，「小岑兄，你與筠心是英雄所見略同。但恕我說一句直話，你們都還算不得我的詩中知己，最好的詩你們都沒看出。」

「你自己說說，哪一首？」

「你讀讀這首。」左宗棠翻了幾頁，指著《催楊紫卿畫梅》說。

兆熊看時，也是一首七律：

柳庄一十二梅時，臘後春前花滿枝。
娛我歲寒賴有此，看君墨戲能復奇。
便新寮館貯瓊素，定與院落爭妍姿。
大雪湘江歸臥晚，幽懷定許山妻知。

「你看看，我像不像林逋？」

望著左宗棠那副得意的樣子，歐陽兆熊覺得十分有趣。他想，自己與左宗棠交往二十餘年，竟沒有完全了解他。原先總以爲他是管仲、樂毅一流人物，却不知他也有陶淵明、林和靖的胸襟。眞是一位可人！兆熊說：「像是像，不過，有最重要的一點不像。人家和靖居士是梅妻鶴子，你却是妻兒成羣。」說罷，二人都開心地笑起來。

隔一會，兆熊猛然想起一件事，說：「季高，我這次由大梁回湘潭，在岳州城裏意外遇見一位老朋友。你猜猜是誰？」

「誰？莫不是吳南屏？」

「不是。吳南屏是岳州人，遇到他不算意外。」

「郭筠仙？他前向去了趟岳州。」

「也不是。」

左宗棠想了想，實在想不出，笑道：「你的朋友，三教九流、天上地下的都有，我哪裏想得出！」

「曾滌生。」兆熊輕輕地說。

「滌生！你怎麼會在岳州城裏見到他？」左宗棠很驚奇。

「他是奔喪回來的。伯母去世了。」

「老太太什麼時候去世的?我們一點音信都不知。他自己還好嗎?」

「他自己還好,就是老了點。這次去江西主考鄉試,在途中得到訃告。本已蒙皇上恩准,鄉試完畢,就回湘鄉省母。誰知竟不能如願。」

「是呀!再大紅大紫的人也不能事事如願。」左宗棠又來感慨了,「滌生這些年也算是青雲直上。比我只大得一歲,侍郎都已當了四、五年。論人品學問是沒得說的,但論才具來說,不是我瞧不起他,怕排不得上等。」

歐陽兆熊知道,左宗棠和曾國藩之間曾有過一段有趣的互相譏諷。那是道光十九年冬,曾國藩散館離湘鄉赴京,途中路過長沙住了幾天。一日,左宗棠與郭嵩燾及弟郭昆燾、江忠源等人一起去拜訪曾國藩。大家議論國是,興致很高。左宗棠愛發表一些標新立異的觀點,又最會講話,口若懸河,滔滔不絕。曾國藩總是說不過他,心中略有點不快。臨到客人們告辭時,曾國藩笑著對左宗棠說:「我送你一句話:季子自稱高,仕不在朝,隱不在山,與人意見輒相左。」

話中嵌著「左季高」三字。左宗棠聽後微微一笑,說:「我也送你一句話:『藩城當衞國,進不能戰,退不能守,問你經濟有何曾?』」

也恰好嵌著「曾國藩」三字。曾國藩驚嘆左宗棠的才思敏捷。二人一笑作別。雖是一段笑話，但左宗棠對曾國藩不服氣的心情，便爲朋友們所周知了。在這點上，歐陽兆熊與左宗棠看法一致。他聽了左宗棠的感慨後，點頭說：「滌生官運是好，要說才能，別省不說，就拿我們湖南一批出頭露面的讀書人來講，像滌生那樣的人，少說也有十個、八個。」

二人正閑扯著，張氏進來，說長沙陶公館來人了。

五　計賺左宗棠

門外站的正是陶府的家人陶恭，左宗棠出門親迎。陶恭隨著左宗棠來到客廳，只見客廳兩邊楹柱上一副聯語甚是引人注目：「文章西漢兩司馬，經濟南陽一臥龍。」陶恭出入過不少讀書官宦之家，還沒有見過氣魄這樣大的聯語，心中暗暗稱奇。坐定後，陶恭將陶桄的信交給左宗棠。陶恭雖然早聞公子丈人的大名，但見面還是第一次。他趁著左宗棠拿著信邊走邊看的機會，悄悄地仔細打量了一眼。見左宗棠四十來歲年紀，五短身材，背厚腰粗，面白略胖，眼圓鼻直，下巴飽滿。陶恭想起別人議論左宗棠時，常說他燕頷虎背。今日一見，果然如此。再轉眼看客廳，盡管是避難寓居，陳設簡陋，但四壁整整齊齊地堆著書箱。正面牆壁上掛一幅題爲《隆中對》的水墨畫，畫上諸葛亮正指著地圖侃侃高談，劉備在一旁洗耳恭聽。畫的兩邊是左宗棠自撰的對聯：「身無半文，心憂天下；讀破萬卷，神交古人。」對聯左邊，懸掛著一把斑爛古劍。劍柄的絲線上繫著一塊晶瑩的玉珮。仔細看時，是一只齜牙踢腿的麒麟。陶恭正在左顧右盼之時，猛聽得一聲怒吼：「這張亮基眞是豈有此理！」

左宗棠平時本聲音洪亮，這一聲吼，聲震屋瓦，嚇到周夫人和張氏急忙從內室走出，歐陽兆熊也忙由書房走進客廳。

「季高，什麼事這樣大怒？」周夫人身體素來虛弱，這時更面色慘白，氣喘吁吁。

「你們看，你們看，這張亮基眞是欺人太甚！」

周夫人接過信看著，張氏扶著宗棠坐下，又把茶杯端來。陶桄的妻子孝瑜是周夫人所生，她看完信後淚如雨下，喃喃地說：「這如何是好呢？」順手把信遞進歐陽兆熊。

「陶公子雖然年幼，還有我哩！只要我活著一天，就不能容許有人欺負他。不怕他張亮基是撫台，我到長沙跟他評理去！陶文毅公爲官清廉，兩袖清風，朝野上下誰人不知？他張亮基要陶家捐十萬銀子，分明是勒索！」任何時候，左宗棠提到陶澍，都是一口一聲的「陶文毅公」。今天盛怒之下，亦不改常態。

左宗棠越說越氣，把手一捋，高聲喊道：「備馬！我即刻就到長沙去。」並對歐陽說，「小岑兄，實在對不起，我左某人嚥不下這口氣。你在這裏寬住兩天，待我回來後再接著談詩。」

「你放心去，不要著急，先把事情弄清楚。」歐陽說，「我正要到筠仙家裏去一趟。我在筠仙家裏等你。」

「也好，我打發人送你到梓木洞去。」

左宗棠和歐陽拱手一別，隨即和陶家僕人騎兩匹快馬，星夜直奔長沙。第二天上午，左宗棠進了長沙城，來到陶公館。門房見是公子的丈人來到，立即打開大門。左宗棠還未進屋，就問：「公子呢？」

門房流著眼淚說：「昨日下午，一羣兵士把公子綁走了。」

左宗棠一聽，立即策馬來到又一村旁邊的巡撫衙門，怒氣沖沖地向裏面闖。守門的衞兵也不阻擋他。左宗棠徑直上了大廳，裏面走出一位師爺，笑著說：「來的是左老先生嗎？張大人已在此等候多時了。」

說畢，從簽押房裏走出巡撫張亮基，他對左宗棠一拱手：「左先生，鄙人在此恭候已久。」

左宗棠怒氣並未消除，一臉的不高興，問：「陶公子呢？請撫台大人立即釋放陶公子！公子年幼，家事是我替他料理。天大的事找我左宗棠，不要爲難公子。」

張亮基哈哈大笑，說：「左先生息怒，『釋放』二字從何談起！豈有陶文毅之子、左季高之婿被綁架的道理，我昨天是請公子來舍下敍談敍談的。亮基一向慕陶老先生的高風亮節，也喜左先生的豪放倜儻，昨夜聽公子談陶公和先生往事，不覺心馳神往。公子正在後花園賞花。」他轉身對師爺說：「請陶公子。」

左宗棠聽說並不是綁架陶桄，氣消了些。

「左先生，請到簽押房坐。」

左宗棠並不謙讓，和張亮基一起走進簽押房，僕人獻茶。左宗棠說：「張大人，您知道陶文毅公生前爲官廉潔，家裏何曾拿得出十萬銀子，這不是有意叫陶公子爲難嗎？」

張亮基又是哈哈一笑：「左先生，亮基久聞陶公廉正，今日所謂捐銀之事——」正說著，簽押房裏進來一人。左宗棠一見，忙站起身來，說：「岷樵兄，久違了。」

「季高兄，什麼風吹來的？幸會，幸會！」

「我爲陶公子的事而來。岷樵兄，你說說，陶家眼下能拿得出十萬銀子嗎？張大人此舉太欠思量。」

江忠源大笑，說：「莫怪張大人，此事是我向大人建議的。」

「你？」左宗棠沒有想到多年老友會出這樣的餿主意。

江忠源拍著左宗棠的肩膀，說：「季高兄，你讓我慢慢說給你聽。」

於是江忠源把張亮基如何敬慕，自己如何推荐，如何獻計，說了一遍。最後，江忠源頗帶情感地說：「季高兄，公卿不下士久矣。張大人之舉，近世罕聞，望我兄玉成其美。」

此時，左宗棠心情已平復。他對江忠源說：「你不應該獻這樣的計，我幾天勞累奔波不說，陶公子受了一場恐嚇，內人在家，至今尚以淚洗面。你不覺得害得我們苦了嗎？」

江忠源笑道：「仁兄素來身強體壯，騎幾天快馬不算什麼。陶公子那邊，昨日張大人親自與他說明了。小小年紀，經受點風險，亦是一番磨練。至於嫂夫人麼，忠源知罪，改日一定去賠罪問安。然不如此，仁兄怎能來長沙？又怎能進衙門？我和張大人又怎能見到你？」

正說著，陶桄進來。左宗棠確知陶桄在此備受禮遇後，完全平靜下來。他問張亮基和江忠源：「不知二位要宗棠到此何幹？」

「特請先生協佐鄙人，保全長沙。」

左宗棠微微一笑，說：「宗棠乃一平民，長沙城內，文武官員如雲，豈容左某插手其間。」

「先生高才，前有胡潤芝極力稱贊，昨又蒙江將軍竭力推荐，鄙人對先生十分欽慕。長沙文武雖多，豈可與先生相比！」

左宗棠愛以諸葛亮自比，書信末尾常自署「今亮」，又對人說「今亮或勝古亮」。他早就盼望能像諸葛亮一樣幹一番大事業。今見張亮基如此誠意，又是江忠源一手推荐，那有不答應之理。但左宗棠並不急於表態，他對張亮基說：「承蒙大人錯愛，宗棠榮幸已甚。但宗棠脾氣不好，遇事又好專斷，恐日後不好與羣僚相處，亦難與大人做到有始有終。」

張亮基答道：「先生放心，鄙人今後大事一任先生處理，決不掣肘。既以先生爲主，羣僚亦不會爲難，請先生釋懷。我明日就打發人去接寶眷來長沙。」

左宗棠連忙擺手，說：「大人既然如此信任，不容宗棠不來。但目前長沙乃兵凶戰危之地，內人還是住湘陰爲好。只是有一點需要事先說明：宗棠乃湘上一農人，不慣官場生涯，若與大人及諸公同僚相處得好，則在長沙多住幾天；若相處不好，宗棠會隨時拂袖而去。請大人到時莫見怪。」

張亮基已從別人那裏得知左宗棠的怪脾氣，對他的這番話一點也不介意，滿口答應，並吩咐擺宴，爲他接風。

六　巡撫衙門裏的鴻門宴

左宗棠爲人最是忠直，不避嫌疑，不答應則已，既已答應，便把保衞長沙視爲當然責任，好像半個巡撫似的，有關守城的一切事務，都往自己肩上壓。他事事過問，椿椿關心，凡他經辦的事，無論巨細，沒有一件不是有條不紊、妥妥貼貼的，且主意甚多。在他面前，幾乎沒有難事。有這樣一個好幫手，張亮基大大地鬆了一口氣。張亮基對江忠源、左宗棠依畀甚重。計畫謀略，無一不跟他們商量。守城的軍務，明以鮑起豹爲首，實際上，已全部委託給江、左了。從此，長沙城裏的混亂階段已過去，代之而起的是一派調度有方、忙而不亂的新氣象。

這天夜晚，張亮基憂鬱地對左宗棠說：「藩庫的銀子已用得差不多了，朝廷的餉銀又一時不能來。倘若銀子接不上手，軍心便會渙散。這如何是好？」

左宗棠沉吟半晌，說：「中丞所憂慮的，也正是宗棠這幾天所考慮的大事，我思來想去，別無法子，只有向長沙的幾家巨富名紳借錢，以救燃眉之急。」

「鄙人來貴鄉不久，民情不熟，不知哪幾戶有錢，能拿出多少來？」

左宗棠說：「長沙首富，當推黃冕。黃冕字服周，號南坡，其父黃博曾任過岷州知州。南坡當年以兩淮鹽運使委辦淮陽賑務，受知於時任江蘇巡撫的陶文毅公。陶文毅公提拔他當江都知縣，又調上元知縣，後又升爲常州府、鎮江府知府。那年夷人打到東南沿海，鎮海陷落，裕謙殉國，南坡以隨員謫戍西域。後朝廷賜他回籍，並賞六品頂載。南坡回籍後，不過問官場事，一心經商，在八角亭開辦永泰金號。據說南坡爲官不太廉潔，家中積蓄有好幾十萬。憑著這分財力，永泰金號成了長沙城首家富戶，每年獲利都在五、六萬之多。」

「哦！」張亮基輕輕地喊了一聲，他沒想到，長沙城裏居然有這等財力雄厚的商人。

「第二個要數普濟藥店賀瑗。他是賀長齡的侄兒、山東道監察御史賀熙齡的二公子。」

「賀長齡家還開藥店？」賀長齡歷任封疆，勛名赫赫，是道光年間的名宦，張亮基知道。不過，他不知道賀家也經商。

「賀公子從小錦衣玉食，本不懂經商營業，只是讀書不成器，家裏怕他學壞，也爲著要磨練他，有意開了這藥店，讓他當個少老板。藥店出息不大，但賀家的財產，少說也有三、四十萬。第三戶是利生綢緞舖的老板孫觀臣，號靈房。」

「是侍讀學士孫鼎臣的弟弟嗎？」

「正是。孫鼎臣是其大哥，二哥孫頤臣現在兵部職方司任員外郎。孫觀臣仗著兩個哥哥的勢力，在城中心紅牌樓開一家利生綢緞舖，一年也有三、四萬的收入。這三個富戶，每戶借出三、四萬，就可以得十來萬，可以對付半個月二十天。待長毛一退，再申報朝廷，還給他們。」

「這個主意好是好。」張亮基摸著下巴上幾根稀疏的鬍鬚，遲疑地說，「不過，這些個老板商賈，向他們借銀子，就好比要他們身上的肉一樣，他們肯借嗎？」

「中丞說得不錯，是難得很。」左宗棠邊走邊思考。突然，他停住腳步，「再請一個人來，事情就好辦了。」

「誰？」

「十里香醬園的老板歐陽兆熊。」

「一個醬園能有多大的收入，他即使願借也借不了多少。」

「中丞，這歐陽兆熊不比別的經商牟利者，此人最是古道熱腸、仗義疏財，頗有當年魯肅指倉借穀之氣慨。他是湘潭人，十里香醬園只是他在長沙的落腳點。此人來了，不容他們不借。中丞，你且放心，明天看我的安排。」

次日下午，又一村巡撫衙門花廳裏，擺下了一桌豐盛的酒席。出席的客人爲黃冕、孫觀臣、賀瑗和歐陽兆熊。主人爲巡撫張亮基，作陪的有前湖北巡撫羅繞典、布政使潘鐸和幕僚左宗棠。客人們爲新巡撫的禮遇而感動，興致勃勃地喝酒談天。酒過三巡，張亮基起身說：

「諸公乃三湘賢達，亮基承乏貴鄉，今日能借此相識，實生平之幸。」

黃冕起身答禮：

「張中丞危難之際來到長沙，率我全城軍民共抗發逆，令我等敬重感佩。」

張亮基微笑說：「多謝諸公厚愛。老先生請坐。」

待黃冕坐下，張亮基接著說：「亮基奉皇上聖旨巡撫湖南，自應誓死守城。只是戰事尚無轉機，諸公和闔城百姓受驚不少，亮基心中有愧。」

孫觀臣說：「中丞說哪裏話來，守土抗賊，乃是我們分內之事。中丞已盡力了，戰事無轉機，豈能怪中丞一人。」

黃、賀、歐陽均隨聲附合。

張亮基激動地說：「諸公如此明達，亮基爲長沙數十萬生靈免遭塗炭，就是粉身碎骨，亦心甘情願。然亮基才疏學淺，深恐有負重托，今日邀請各位光臨，敢請諸公遺我以度危濟困之良策。」

黃、孫、賀等人平日於守城之事想得不多，一時也無良策出來，只好默默喝酒。左宗棠拿眼瞟了下歐陽兆熊。兆熊會意，大聲說：「中丞，你有何爲難之處，盡管說吧！兆熊不才，但南坡兄、靈房兄和賀公子都是胸藏奇策、腹有良謀的能人，他們可以爲中丞排難分憂。」

兆熊這兩句話說得黃、孫、賀心裏高興，齊聲說：「中丞有何困難，只管說吧！」

張亮基順勢說：「有諸公這等慷慨仗義，亮基有何困難不可克服？今有大事一樁，懇請在座諸公幫忙。大家知道，自從發逆圍城以來，朝廷急調了七、八千人馬到長沙，餉銀却一時供應不上。這些人馬和其他費用，每天約增加五千兩銀子的開支。潘大人竭盡全力，勉强支撐了二十餘天。眼下藩庫枯竭，再過幾天，就要斷銀了。一旦斷銀，軍心就會渙散，其後果不堪設想。亮基爲此事，連日來憂心如焚，千思百慮，無計可施，只有請諸公前來共商。諸公均三湘大富，又素抱忠義之心，亮基以湖南巡撫名義向諸公借十萬銀子，待長毛撤退，難關度過，亮基即申報朝廷，表彰諸公愛國之心，並連本帶息償還。」

張亮基話一出口，客人們立時傻了眼。常言道：「說到錢，便無緣。」酒席桌上剛才那股熱乎氣氛即刻冷下來。各人低頭望著筷子，默不作聲，心裏懷著鬼胎：悔不該來吃這頓酒席。倘若長沙守不住，張亮基革職殺頭，誰來還債！冷了好長一段時間，孫觀臣掏出手絹揩揩油晃晃的嘴臉，說：「國難當頭，匹夫有責。借銀助軍餉，在下本不應推辭。只是敝號手頭拮据，拿不出銀子來。往年這個時候，湖南四方都到敝號來定買綢緞，準備秋後的婚嫁和年節的賀禮。眼下給長毛一鬧，連個登門問價的人都沒有。敝號十多個伙計要過日子，每日裏沒有進錢，只有出錢。唉，再這樣下去，利生號要關舖門了。」

孫觀臣說到這裏，現出垂頭喪氣的樣子，似有傾吐不盡的苦楚。話音剛落，黃冕就接著說：「永泰金號和利生綢緞舖一樣。這個時節，誰還有心打金銀器皿。一個月來，敝號沒有做一筆生意，我頭髮都急得全白了。」

「敝號也差不多。」接話的是賀瑗，一副紈袴子弟的打扮，「長毛一包圍，連買藥的人都少了。你們說怪不怪！」

張亮基見他們一個個叫苦連天，心裏很是著急，擔心酒席就會這樣散了，半兩銀子也借不到。他一雙眼睛老瞅著左宗棠。只見左宗棠悠閑自在地邊喝酒吃菜，邊聽老板們的訴苦。待賀瑗一說完，他端起酒壺，走到客人們身邊，邊給他們敬酒邊說：「這個把月來，各位老板生意的確是蕭條些，可是各位的家底都很厚啊。俗話說，餓死的駱駝比馬大，再苦，拿出幾萬銀子也不成問題。」敬到歐陽兆熊身邊，輕輕地用腳踢了他一下。兆熊大聲說：「張中丞為保長沙，苦心孤詣，令湘人感動。剛才各位老板說的也是實情。十里香醬園是個小買賣，不能和各位的寶號相比，這些日子生意也清淡。不過，古人說得好，爲人當公而忘私，國而忘家。處今日之際，除守住長沙，打退長毛外，別無選擇。鄙人家底本薄，又不善經營，也拿不出許多銀子來，我就先借一萬吧！杯水車薪，不足爲濟。眞正起作用的，還是各位財主。」

「歐陽先生眞是個爽快人。」處在尷尬局面中的張亮基見歐陽兆熊有如此豪俠之舉，無限感慨地說，「事平之後，亮基一定爲先生向朝廷請封，並在八角亭鑄一銅鐘，上鐫先生大名，名揚三湘，永垂不朽。」

但歐陽兆熊的舉動並沒有引起連鎖反應，巡撫的話一完，酒席上又是一片沉寂。張亮基、羅繞典、潘鐸坐立不安。左宗棠看看情形不對頭，端起酒杯，霍地站起來，走到歐陽兆熊身邊，說：「歐陽先生，你不是長沙人，田產家業都不在長沙，能有如此俠義舉動，宗棠敬佩不已。宗棠從不敬人酒，今日却要爲了長沙數十萬生靈，敬你這一杯。先生不愧爲三湘父老之肖子，孔孟程朱之賢徒，朝廷官府之良民，士林商界之楷模。」

左宗棠把酒杯舉到歐陽兆熊的嘴邊，說：「你一定要把這杯酒喝了，我還有話說。」

歐陽兆熊只得把酒喝了，依然坐下。黃、孫、賀等人早就聽說湘陰左宗棠厲害過人，現在見他這副模樣，聽他這幾句摻了骨頭的話，已知來者果然不善，都一齊規規矩矩坐在凳子上，恭聽他的下文。

「左某論家世，累代耕讀；論功名，不過一舉人。今日是中丞大人請各位來共商守城大事，按理，無左某置喙之地。且長沙守與不守，與左某亦無干，萬一長沙攻破，左某一走了事。湘陰東山白水洞，有我的妻室老小，我可以仍在那裏過隱居生活，僻山野嶙，諒長毛不至來犯。左某今日多嘴，實是一爲長沙數十萬生靈著想，也爲各位老先生著想。在座各位，不是曾做過朝廷之官員，便是顯宦名吏之子弟，世受國恩，身被榮澤。試想想，沒有朝廷，各位能有今日這份家業嗎？當前國家有難，各位袖手旁觀，置之不理，對得起自己的良心嗎？對得起父祖兄長嗎？且長沙城一旦被長毛攻破，玉石俱焚。金銀財寶，悉被長毛所虜；富戶財主，一個個被長毛肢解殺頭。與其眼睜睜地看到那一天的到來，爲何不設法保住長沙呢？各位可以比較一下，是讓長毛攻破長沙，人死財亡好呢，還是借銀發餉，打退長毛，度過難關好呢？」

說到這裏，左宗棠瞟了一眼黃、孫、賀等人，見他們頭上流汗、面帶憂愁，知他們內心鬥爭激烈。左宗棠心想，一不做，二不休，乾脆給他們點顏色看看。他把身旁的親兵喚過來，悄悄地吩咐幾句，然後提高嗓門說：「歐陽先生，你可以回去了，門外已備好轎子。南坡兄、靈房兄和賀公子，暫時委屈一下，在這裏還坐一坐。」

黃、孫、賀三人大吃一驚，不由地向門口一望。只見門口站立一排手拿大刀、滿臉殺氣的兵士。三人心怦怦亂跳，沒想到剛才還是觥籌交錯的歡聚，忽然化作刀槍相見的鴻門宴。大家面面相覷，唬得說不出話來。左宗棠繼續說：「今日事不關張中丞和羅、潘兩位大人，全是左某一人所為。左某斗膽代表長沙數十萬生靈挽留一下各位。各位心中若有委屈之處，盡可以上告朝廷。不過，」左宗棠目光威厲，露出一副凜不可犯的神態，「左某也會將各位的態度宣告長沙全城，讓父老鄉親們來評評說。」

黃冕老練，知道今日局面，不拿出銀子來，無論在朝廷，還是在百姓面前都會過不去，且自己的銀子來路也不是那麼乾淨的。於是硬硬心說：「張中丞的苦心，鄙人深知。鄙人兩代受朝廷恩澤，豈有不思報效之理，且又何忍眼看長沙城破，鄉親蒙難。只是敝號近來生意不景氣，拿不出太多罷了。鄙人竭盡全力，借出四萬兩來，如何？」

張亮基高興地說：「多謝老先生資助。亮基擔保，一定償還。」

闊少爺賀瓔從小便不知愛惜銀子，拿出幾萬來，他看得並不重。現在見門口站著荷槍持刀的兵，知道要留他作人質。他想起今夜已約好要和三姨太打牌聽曲，心裏正急得不得了。這時只要拿得出，隨便拿多少他都願意。賀瓔趕忙說：「敝號也借四萬！」

「好個識大體、顧大局的賀公子！」羅繞典、潘鐸一齊稱贊。

孫觀臣掏出手絹來，擦了擦頭上的汗，說：「敝號店小財薄，不能跟南坡兄和賀公子相比，就借三萬吧！」

「好！」十二萬兩銀子已到手，張亮基喜出望外，他站起身說：「多謝諸公慷慨解囊，亮基代表長沙闔城老少，給諸公作揖。」

說罷，張亮基整整衣冠，抱拳，並彎下腰去，慌得全體來客都站起答禮。張亮基高擧酒杯，說：「各位賢達，亮基誓與長沙共存亡。耿耿此心，皇天后土共鑒！」

七　藥王廟裏出了前明的傳國玉璽

就在長沙城裏張、江、左等人爲守城精心籌劃的時候，太平天國北王韋昌輝、天官正丞相秦日綱奉天王洪秀全之令，率領一萬人馬，倍道兼程，趕到長沙南門外。蕭朝貴、石達開、韋昌輝、秦日綱等人商量，決定再發動一次全面進攻。

這天淸晨，東起小吳門，西到小西門，太平軍一萬五千人馬向長沙南城發動了猛烈進攻。長沙城內城外，經過江忠源、左宗棠等人的重新部署，防守也更加嚴密。岳麓書院、城南書院一部分士子也參與防守，有的居然持刀上了城牆。每天五千兩銀子按時發下去，對穩定軍心也起了些作用。這次雙方爭鬥，比上次更顯得激烈。天心閣附近的拚搏尤其殘酷。江忠源的楚勇在對面蔡公坟占住制高點，天心閣上又安放那座五千斤的炮王，火力强大。太平軍一時沒有占到上風。但在其它地方，他們都取得了勝利。戰士們靠近牆根架設雲梯，正在一個接一個地登牆。他們接受上次的教訓，離牆頭還有丈把遠時，就拋出帶有鐵鈎的軟繩，鈎子掛住牆頭清兵的衣褲，用力一拖，就連人一起拖了下來。然後收起繩子，抽出腰刀殺上去。這些清兵，大部分因朝廷常常欠餉，官長又克扣，積了一肚子怨氣，雖說這幾天多領了幾兩銀子，但到底不願意拿命去換，見勢不對，便紛紛逃竄。太平軍這方面正是出山之虎，一以當十，士氣高昂。一段又一段城牆被他們所占領。

在地面上兩軍肉搏之際，有一條地道正在緊張地堆放炸藥和地雷。這條地道，不僅穿過城牆，而且已到達城內天妃宮邊。

天妃宮裏，鄧紹良和一批大小頭目們正在開懷暢飲。他們以功臣自居，根本不理睬外面的戰鬥。宮裏的人大都喝得七八分醉了，嘴裏却仍在喊著：「哥倆好呀！三星照呀！……五魁首呀！」鄧紹良摟著一個唱曲的姑娘，要把一杯酒硬灌給她喝。一個親兵輕輕走上前，說：「大人，外面炮聲響得厲害，弟兄們醉成這樣，怕會誤事吧！」

「不要緊，我們是在城內，不攻破城，他們能進來嗎？弟兄們援救有功，不要壞了他們的興頭。」說罷，重重地捏一下唱曲姑娘的粉臉，痛得那姑娘尖叫，鄧紹良樂得大笑。

突然，一聲巨響，城牆炸開一個大缺口。康祿率領一批兵士穿過缺口，直奔天妃宮來。鄧紹良還未弄清發生什麼事，康祿一刀刺進他身邊那個親兵的胸膛，鄧紹良急忙抽出佩劍抵擋，邊戰邊退，在門口跨上一匹馬，順著南正街往城中逃去。那些爛醉的大小頭目，大部分被太平軍戰士像割韮菜似的割去了腦袋。

天妃宮被占領後，南城魁星樓側又一聲巨響，天崩地裂，磚石橫飛，城牆被炸開五丈多寬。清兵慌了神，紛紛往城裏奔去。左宗棠騎馬過來，喝令清兵返回堵住。但這些逃兵都不認識他，繼續向前跑。左宗棠氣憤已極，命令親兵就地斬首為頭的幾個逃兵，這才把他們鎮懾住。左宗棠叫清兵把火藥桶、油桶往缺口拋擲，然後點燃火。霎時，在缺口周圍燒起一道火牆，阻擋城外太平軍兵士的進攻。左宗棠又令趕緊用石塊塡缺口，不管是誰，向缺口拋一塊石，賞錢一千文。一時間，石塊從各處飛來，不但太平軍兵士被砸傷砸死很多，正在搏鬥的清兵也有不少被砸。一個親兵對左宗棠說：「左師爺，石頭打死我們許多人，傳令不拋了吧！」

左宗棠雙眼怒睜，喝道：「胡說！是幾條命要緊，還是長沙城要緊？先投石，打死的以後再撫恤。」

天心閣下，蕭朝貴冒著火石，跨馬揮刀衝向前，他眞想飛到牆頭，親手砍翻城牆上的妖頭。忽然，一顆炮子射過來，蕭朝貴感到眼前一黑，從馬背上栽下。親兵們急忙圍過來，但見朝貴滿頭是血，已經不能說話了。城牆上的淸兵們狂呼亂叫：「打死蕭朝貴了！打死蕭朝貴了！」

正在進攻的各隊將士，一聽蕭朝貴陣亡，頓時亂了陣脚，淸兵乘機猛攻。康祿等衝進城裏的兵士們，也不得不又從缺口衝出來。石達開見狀，急令鳴金收兵。

這天夜晚，太平軍將士人人悲憤塡膺。爲防備淸軍劫營，只得草草安葬朝貴，並立下一塊暗石，好日後尋找，再隆重禮葬。

第二天凌晨，東王楊秀淸帶著三千人馬來到妙高峯下，並告訴大家，天王率領大隊人馬已駐扎在石馬舖。東王的到來，使軍心爲之一振。

妙高峯藥王廟裏，東王楊秀淸主持的高級將領軍事會議即將結束。經過一個下午的熱烈討論，楊秀淸開始作總結，全體將領的眼睛都望著他。這位廣西紫荊山的燒炭工，今年三十二歲，粗眉大眼，身材不高，强壯精幹，渾身似乎有永遠使不盡的力氣，眼睛閃出兩道光芒，旣威嚴又狡黠，既深峻又熱情。他用宏亮的廣西官話說道：

「西王殿下死在長沙城下，我們與湖南清妖不共戴天，此仇一定要報。但我們的進軍目標是金陵。長沙只是路過站，易取即取，若以犧牲數千將士的代價來換長沙城，則大可不必。剛才翼王殿下的意見很對，我們一面佯裝全力攻城，另一方面派出得力人員到河西打糧。待全軍糧食足夠後，便直下岳州，取道洞庭湖，進入長江。明天便由翼王帶三千人馬渡湘江而西，這邊由北王和天官正丞相負責攻城。天王陛下過兩天就到。待天王陛下到後，我們再定北進日期。」

衆將齊聲擁護。

第二天，翼王石達開率領三千人馬渡過湘江。過江的時候，石達開要康祿帶五百人埋伏在水陸洲上，並面授機宜。渡江後，石達開順利占領龍回潭、陽湖，控制通往寧鄉、湘陰的大路，並從岳麓山下的地主們手中輕易地得到了七、八萬斤新糧。

消息傳到城內，巡撫衙門又是一陣驚慌。張亮基連夜與左宗棠商量對策。左宗棠說：「石達開帶人在河西掠糧，可見賊對短期破城沒有把握。以宗棠看來，洪秀全、楊秀清下步的打算不出兩條：一爲長期屯兵城外，與我抗衡；一爲掠足糧草，準備遠颺。這一年多來，他們一路陷城掠地，並不久留，桂林圍而未破，則繞道陷全州。從賊之一貫行事來看，放棄長沙遠颺他處的可能性較大。」

張亮基說：「但願如先生所分析，長毛早日離開湖南境內。然則洪、楊未走之前，如何對付呢？」

「目前不管他們走還是不走，先要殲滅石達開一股。石達開只有三千人馬，且離開賊之老巢。我們選調五千人，分成三部分，以一千人駐紮水陸洲，堵其歸路；另外四千分兩隊南北包抄。將這股人馬殲滅後，賊軍心必亂。但這三路人馬分別由誰來帶領呢？」左宗棠捻著鬍鬚，像問張亮基，又像是自問。

張亮基說：「我看駐水陸洲一軍，由廣西提督向榮帶領，他一路尾追長毛，經驗最豐富。包抄兩路則由綏寧總兵和春、河南河北總兵王家琳分別帶領。你以為如何？」

左宗棠沉默一會兒，緩緩地說：「宗棠剛來，對諸將才能性情尚不甚了解。大人既然定了，就這樣辦吧！」

次日，向榮、和春、王家琳分別帶領各自人馬，離城過江。

向榮從朱張渡口過浮橋，殺氣騰騰地帶著一千人馬來到水陸洲。卻被太平軍的一把火燒了個嗚呼哀哉，一千人馬，被燒死殺死八、九百。

南北包抄的兩支人馬聽說水陸洲向榮全軍覆沒，都嚇虛了膽；交戰不到一個時辰，便大敗而逃，爲爭奪浮橋，又在湘江中淹死幾百人。

左宗棠站在天心閣上，看到水陸洲火起，三路人馬全部敗逃，不覺長嘆。心裏說道：「當年諸葛亮初出茅廬，便在博望坡以火攻取勝而使關、張心服。想不到我左宗棠初出，却中了別人的火攻之計。今亮就這樣不如古亮嗎？」繼而又想：「這班綠營官兵眞是一羣飯桶，即令水陸洲全軍失敗，南北兩路尙有四千人馬，何以如此不中用！」左宗棠從心裏鄙夷這班酒囊飯袋。他暗暗決定，今後必須親自選擇一批將官，重新招募一支新兵，嚴格訓練，一掃綠營積習。否則，縱有諸葛之謀，也不能在戰場上取勝。

石達開在河西的勝利，極大地鼓舞了圍城的將士，不少將領向楊秀清提出：趁此機會，再次攻城。楊秀清沒有立即答應，他要和洪秀全商量。

將近黃昏，洪秀全帶著一班侍衞，悄悄來到妙高峯上。他屏退左右，與楊秀清閉門密談了半夜。

第二天中午，一樁天大的喜事在太平軍將士中傳開。原來，楊秀清的幾個親兵在藥王廟的神座下發現一顆前明的傳國玉璽。這玉璽四寸見方，上鐫五龍交扭，刻著「天地齊壽，日月同輝」八個篆字，裝在一個檀香木匣內，用金鎖鎖著。經隨軍的博學文人鑒定，的確是眞正的國寶。他們紛紛猜測，不能理解明朝的傳國玉璽何以藏在藥王廟的神座下。後來，還是楊秀清解釋得最好，衆皆欽服。楊秀清說：「當年吳三桂引清兵入關，原是想借滿人的力量自己做皇帝，故在明朝宮中搜得這顆傳國玉璽，秘密保存。後滿人稱了帝，封他爲平西王，他心中不服，但兵力單薄，無可奈何。吳三桂到雲南後招兵買馬，擴大實力。康熙十二年，與靖南王耿精忠、平南王尚可喜之子尚之信發動叛亂。吳三桂從雲南打到湖南，占領了長沙。他原想在長沙稱帝，後來時局不利，便撤退到衡州，匆忙之中，將這顆玉璽藏在藥王廟神座下。吳三桂雖然兵敗，但是想過皇帝的癮，於是在衡州稱起帝來。當時清兵已圍住了衡州，他一時無法到藥王廟取玉璽。不久，吳三桂一命歸天，藏璽的人也都戰死了，誰也不知道這顆玉璽的下落。今天，天父天兄將這顆傳國玉璽賜給了我們。我們的天王陛下是眞正的眞龍天子。」

楊秀清的解釋與歷史事實很相符合，這顆傳國玉璽的眞實性是不容懷疑的。全體將士興奮至極，尤其是那些廣西過來的老兄弟們，自覺地焚香禱告，眼中流出無限激動的淚水，感激天父內兄將清妖的江山賜與天國，決心一舉攻克長沙。

當天夜晚，洪秀全召開全體高級將官會議。在莊嚴隆重的氣氛中，洪秀全出來和大家見了面。因為玉璽的發現，天王在衆人眼中儼然已是登基的天子，全體將官自覺地跪在洪秀全的腳下，三呼萬歲。在大家的無限虔誠之中，楊秀清給洪秀全遞來一個詭譎的微笑。這個微笑，只有洪秀全心中明白。

洪秀全今年三十九歲，身材高大魁梧，面孔英俊，留著淡茶色鬍鬚。他與人突出的不同是耳小而圓。現在，他端坐在臨時鋪就的龍椅上，威嚴地說道：「天父天兄將明朝的傳國玉璽賜與我們，是清妖朝廷的結束，漢人重坐江山的象徵。我已命令工匠將前明的璽文磨去，刻上『天父天兄天王太平天國』十個大字。」腳下歡聲雷動。待大家的心情平靜下來後，洪秀全繼續說：「諸位兄弟在長沙城下圍攻兩個多月，給湖南清妖以沉重打擊。清妖目前是坐困危城，一籌莫展。我們在攻克道州時，便制定了『直前衝擊，循江而下，掠城堡，捨要害，克復武昌，號令天下』的大計。目前我軍士氣正盛，糧草充足，連日江水暴漲，正是我軍浮江北下的大好時機。各軍今夜作好準備，搜集船隻，明早登船，撤離長沙，另林鳳祥帶五千人從陸路出發，掃除障碍，到王家坪上船，出臨資口，到湘陰與大隊人馬會合。李開芳帶一千人連夜南行，南下疑陣，引誘清妖南下，務使大軍安然北進。」

洪秀全說完後，楊秀清又站起來强調了兩句。他說：「北進的水陸兩軍都要連夜悄悄作好準備，不讓清妖得到一點風聲。南下的一支人馬，則要大造輿論，大張旗鼓。把清妖引誘得越遠越好。待把清妖引出百把里之後，再從小路間行往北，與大隊會合。」

翌日上午，當數千清兵尾隨李開芳南下時，五萬太平軍將士，已分別從水陸兩路浩浩蕩蕩向岳州進發。

八　左宗棠荐賢

太平軍撤離長沙，闔城官紳大大地舒了一口氣，窮苦百姓却深感惋惜。他們巴不得大軍進城來，多殺掉幾個貪官劣紳，爲窮人出氣伸寃。聽說藥王廟裏出了明朝的傳國玉璽，長沙城內和四鄉的百姓，都認爲今後的江山是太平軍的，對將來的日子有了指望。許多家中無牽掛的年輕人隨著太平軍走了。他們要跟著洪、楊去打天下、建新朝。

張亮基以巡撫名義大擺宴席，犒賞這兩個多月來爲守長沙城出力的全體官紳，並特地請黃冕、孫觀臣、賀瑷和歐陽兆熊坐在第一席上，並保證立即申報朝廷，償還他們借的十二萬兩銀子。又封那座立了功的炮王「紅袍大將軍」。又循鮑起豹之請，爲城隍菩薩重新塑像，封它爲「定湘王」。又要左宗棠趕緊起草奏章，題目就叫做「長沙大捷賊匪敗竄北逃折」，向朝廷邀功請賞。

左宗棠却不像張亮基那樣喜形於色，他在深思。這些年來，左宗棠以一個旁觀者的身分，對朝廷的腐朽、官場的齷齪、綠營的窳敗，看得非常清楚。他知道洪楊起事，是由於走投無路而被逼上梁山，其戰鬥力非同小可，況且又得到百姓的擁護。長沙城的守住，並非是由於官軍的力量，而是因爲洪楊志不在此。天下從此將要大亂，不可樂觀過早。河西之役失敗後，他就想到今後與洪楊作戰，不能指望綠營。看來只能仿照過去與白蓮教打仗的樣子，組織團練，從團練中練出一支勁旅來。現在，長毛已退，必須趕緊籌辦這事。各縣都要像湘鄉、新寧、湘潭等地那樣建團練，省裏由一人統領。誰來籌辦此事呢？他首先想到羅澤南。

羅澤南是個出名的理學家，但他並不空談性理，而注重經世致用，他的弟子中能人不少。從去年以來，他在湘鄉主辦團練，集合了一千多人。由於練勇有功，已被保舉候補訓導。不過，羅澤南雖然辦團練有經驗，但畢竟位卑人微，長沙不是湘鄉，他難以在此站住脚。自己出面嗎？也覺資望尚淺，恐別人不服，這個大任，由誰來擔負呢？他想起江忠源，但長沙城防離不開他。郭嵩燾呢？他是個典型的書生，不堪煩劇。歐陽兆熊呢？此人太不講法規，不能充當領袖人物。想來想去，無一人合適。左宗棠在房間裏踱來踱去，突然把腦門一拍，大喜道：「我怎麼一時忘了此人！」

他急忙走到簽押房，以少有的興奮情緒對張亮基說：「中丞，這主辦省團練的人有了。」

「誰？」張亮基高興地問。

「中丞看，正在湘鄉原籍守制的曾滌生侍郎如何？」

「滌生侍郎的什麼人亡故了？」

「他的母親在六月間就已去世。他由江西主考任上折轉回籍奔喪，回家已有兩個來月了。」

「這段日子給長毛沖得六神無主，也不知道滌生兄回籍來了，眞正對不住。要是由他來主辦，那當然是太好不過的事。」略停一下，張亮基說，「不過，聽說曾滌生爲人素來拘謹，最講名教，他正在服喪期間，能出山辦事嗎？」

「這點我也慮及了。墨絰從戎，古有明訓。滌生重名教，但更重功名事業。只要大人作書懇請，一面上報朝廷，請皇上下詔，我看他會出山的。」

「好，我這就修書，請你擬個折子。」

第三章　墨經出山

一　謝絕了張亮基的邀請

湖南鄉下有躲生的習俗。

十月十二日，是曾國藩四十三歲的生日。自從道光十九年冬散館進京，他已是十二個生日沒有在家過了。父親和弟妹們暗暗在準備爲他熱熱鬧鬧辦一場生日酒。遠近的親朋好友早就在打聽消息。他們中間有眞心來祝賀的，但更多的是借此巴結討好。

曾國藩童稚時期，正是家境最好的時候，後來弟妹漸多，父親館運常不佳；叔父成家後亦未分爨，叔母多病，藥費耗去不少。到他十多歲後，家境大大不如前，因而從小養成了儉樸的生活作風。回家來，他看到家裏的房屋起得這樣好，宅院這樣大，排場這樣闊綽，又驚異又生氣。母親的發喪酒辦了五百多桌，驚動四鄉八鄰，也是曾國藩不曾想到的。他把幾個弟弟重重地責備了一頓，爲著表示對他們這種講排場、擺闊氣的不滿，他決定不辦生日酒，並到離家十五里路遠的桐木冲南五舅家去躲生。

南五舅對此很感動。外甥回家兩個月來，不知有多少闊親朋來接他去住，他都謝絕了，唯獨看得起自己這個窮舅父，一住便是幾天，給老娘舅增了不少光彩。

曾國藩也的確敬重這個既無錢又無才的南五舅。南五舅是國藩母親的嫡堂兄弟。他也讀過幾年私塾。後來父親死了，家道中落，他輟學在家種田，過早地肩負起家庭重擔。南五舅為人忠厚樸訥，從小起就對國藩好。人前人後，總說國藩今後有出息。國藩兩次會試落第，心裏不好受，南五舅都接他到桐木冲，一住就是半個月。常鼓勵他：寶劍鋒從磨礪出，梅花香自苦寒來，不要怕挫折，多幾番磨練，日後好幹大事業。

丁酉年冬，曾國藩第三次進京會試。家中七湊八拚，總共只有二十千錢，向人借貸，一個銅子也沒借到。曾國藩心裏難受極了。忽然，南五舅喜冲冲地跑來：「寬一，我這裏有十二千錢，湊起那二十千，就有三十二千了，節省點用，也可以到達京師。」

曾國藩高興得直流淚，一把收下。當時也沒問：南五舅怎麼一下子會有這麼多錢？到了京師才想起，寫信問家裏，才知道南五舅把僅有的一頭小黃牛賣了！

曾國藩始終記得南五舅的大恩。那年從四川主考回來，得了三千兩銀子的程儀。他寄回家一千兩，特別指明從中分出一百兩給南五舅。以後升了侍郎，俸金多了，他每年都送二十兩銀子年禮。

這幾天，他和南五舅談年景。知道荷葉塘種田人這些年來日子過得很艱難，田裏出產不多，捐派卻年年增加。遇到天災人禍，有的甚至家破人亡，幾年來減少十多戶。自從四月來，又增加辦團練的捐派，每戶見人捐五百。百姓怨聲載道。南五舅還悄悄告訴國藩，荷葉塘還有人希望長毛成事，好改朝換代，新天子大赦天下，過幾天好日子。這些都使國藩大為吃驚。

南五舅家人客少，清靜。一早起來，曾國藩按慣例臨了半個時辰的帖後，開始給京師的朋友寫信。隨後，又給兒子寫了一封長長的家信。長子紀澤今年虛歲十四，該讓他慢慢學習辦事了。曾國藩將家眷離京回籍前應在京師辦的事，一一寫給紀澤。寫好了，又細細地從頭至尾看一遍，數一數，一共有十七條。正準備封緘時，又拿出一張紙來，補充三件事。一是告訴兒子如何處理家裏的三車三騾，大騾子小騾子當初買時用了多少銀子。二是家具都送給毛寄雲一人，不要分散了，因為家具少，送一人則成人情。三是要兒子做一套新衣服，以便在祖父面前叩頭承歡。

他將這張紙連同剛才寫好的六大張紙一起折起來，放進信套裏，小心地封好。正要提筆寫封面，江貴進門來：「大爺，巡撫張大人來了一封信，老太爺請你老回家去。」

曾國藩忙與南五舅告辭，和江貴回家。剛進家門，四弟便喜孜孜地說：「哥，聽說是張大人的親筆信！」

說著，把一個尺餘長的大信套遞給國藩。由於曾國藩的身分和地位，使得他在諸弟中有著崇高的威望。對大哥，弟弟們敬若神明。盡管信使說信中講的是張大人請國藩晋省辦團練事，荷葉塘都團總曾國潢急於知道內中的詳細，却沒敢私拆哥哥的信。

曾國藩拆開信封，果然是張亮基的親筆。巡撫的信寫得很親熱，先是對國藩喪母表示沉痛哀悼，說自己當時遠在昆明，不能前來吊唁，後在戰火中來到長沙，又抽不出身，心裏很覺得對不住，只好明年清明再到荷葉塘來掃墓。繼而又把自己如何敬慕的心情說了一番。最後講到此次長沙被圍，好不容易才打退長毛，請國藩爲桑梓父老著想，出山來辦團練。信的末尾這樣寫道：

亮基不才，承乏貴鄉，實不堪此重任。大人乃三湘英才，國之棟梁，皇上倚重，百姓信賴，亟望能移駕長沙，主辦團練，肅匪盜而靖地方，安黎民而慰宸慮，亮基也好朝夕聽命，共濟時艱。

曾國藩將信細細地看了兩遍，又重新放進信套裏，鎖進櫃子中。這幾天和南五舅扯家常，越扯越對湖南吏治的印象壞。早就聽說湖南官場腐敗，兩個多月來的所見所聞，果然如此。這種環境怎能辦事？何況張亮基、潘鐸等人都不熟。練勇在幾十年前平白蓮教造反時，爲朝廷立了大功。白蓮教事畢，練勇也就全部撤了。近十幾年來，雲貴一帶地方不靖，又相繼在各州縣辦了一些團練，但鮮有成效。聽南五舅的口氣，百姓似乎並不擁護。爲驗證南五舅的話，國藩將四弟喚進內室。

一聽哥哥招喚，曾國潢便進來了。在曾氏五兄弟中，國潢天分最低，但偏生又最愛出風頭。羅澤南要他當個都團總，他便如同做了一品大員，得意洋洋，在鄉民面前拿大裝腔，趾高氣揚的。曾國藩有點看不慣，回來這麼久了，有意不問他辦團練的事。國潢想在哥哥的面前賣弄，見哥對此毫不感興趣，幾次話到嘴邊又咽下去了。現在哥主動來問他湘鄉辦團練的事，這下正搔到他的癢處。他興致勃勃地告訴哥：「今年四月，長毛攻破廣西永安，竄至全州，逼近楚境，朱明府即在我縣舉辦保甲，並令練族練團，互相保護。一族議定族長、房長，或四族，或五族合爲一團。團議定團長、練長。各家各戶男子年滿十五以上、五十以下的一律入團練。每人自制號褂一件、器械一件。早晚在家操演，一遇賊警，由團長、練長、族長、房長帶赴有事之處。平日無事，各安本業。團長、練長等每月會議兩次。」

「經費怎麼來？」曾國藩問。

「團練一切由各家自己開銷，不要多少經費。」

「總要點錢吧！團長、練長每月聚會兩次，在誰家吃飯？」

「當然是要點經費。各團各族自己規定，有的按人口出，一人一百文、兩百文的，有的則由幾戶殷實人家出。」

「你說一人出一百兩百，南五舅說他們一人出五百，怎麼相差這樣遠？」

「有的族長黑心，想趁這機會撈一把。」

「澄侯，看來這團練中有弊端。剛建不久，就有人想從中謀私利。再辦些時候，會幹更多壞事。」

「是的，有的團丁還借機做壞事。如借禁賭行敲詐，借查夜行奸淫。聽說添梓坪就發生了幾起。」

「你說早晚操演。我回來兩個來月了，怎麼沒見過你們操演？」

「剛成立時，操演過幾回，後來漸漸懶散了，再加上長毛又沒來，有兩三個月沒練了。說早晚操演，那是寫在紙上的規定。」

「也有操演得好的嗎？」

「有。縣城附近幾個都，由羅山帶著璞山、希庵兄弟等親自指揮，據說蠻像個樣子。」

「澄侯，你說團練辦好，還是不辦好？」

「我看還是辦好，至少可以對付小股土匪、搶王（搶王：湖南方言。指小股明火執仗打劫的人。）。不過，按現在這樣辦下去，可能怕只是神氣了幾個長字號，百姓得不到多少實惠，大家也不齊心。弄不好，過幾個月就會散伙。」

「要怎樣才會眞正起作用？」

「依我看要起作用，就得專練一支隊伍，也要吃糧吃餉，那樣才練得好，免得心掛兩頭。」

「糧餉從哪裏來呢？」

「就是因爲糧餉無出路，才辦不起來呀！」

兄弟倆就團練一事扯了大半夜。待國潢走後，國藩搖搖頭，心裏想：看來這個團練沒有辦頭。再說，自己乃朝中堂堂正二品侍郎，又熱孝在身，若僅因一巡撫之相邀，便出山辦事；既有失自己的身分，又招致士林的譏嘲。這事如何辦得！

曾國藩給張亮基寫了封回信。諸多原因不能寫，唯一可以拿得出的理由，是要在家守制。在一大通客氣話之後，他寫道：

國藩自別家鄉，已歷一紀，思親之情，與日俱增，幾欲長辭帝京，侍親左右，做一孝子賢孫而終此生。豈料今日遊子歸來，王父王母，墓有宿草；慈母棄養，遠馭仙鶴。百日來，憂思不絕，方寸已亂，自思負罪之深，雖百死亦不能贖也。

明公雅意，國藩再拜叩謝。然豈有母死未葬，即辦公事之理耶？若應命，不獨遭士林之譏，亦己身所深以爲恥也。國藩此時別無他求，唯願結廬墓旁，陪母三年，以盡人子之責，以減不孝之罪。烏鳥之私，尚望明公鑒諒。晚生曾國藩頓首

二　世無艱難，何來人傑

過幾天，湘鄉縣團練副總羅澤南召集全縣四十三都團長、練長會議，特地請曾國藩光臨指導。國藩、國潢兄弟倆一起到了縣城。拜會縣令朱孫貽後，國藩出席了縣城團練的比武大會，親眼看到羅澤南和他的弟子王鑫、李續賓、李續宜所訓練的三營一千餘名團丁，已初成規模，心裏很有感慨。夜晚，又與羅澤南通宵長談，聽他講按戚繼光練兵法挑選將官、招募勇丁以及平時操練的體會。羅澤南竭力慫恿曾國藩出山辦團練，並表示願將這一千團勇交給曾國藩，他和他的學生都情願在其帳下聽令。曾國藩聽後，更是激動不已。他深感自己無論在識見方面，還是在能力方面都不如羅澤南，自己只看到吏治腐敗、綠營腐朽的現象，弄得心灰意冷，卻不曾想到可以用自己的力量，按自己的想法去重新開創一個局面。如果下定決心來辦好團練，也

很有可能像當年戚繼光創建戚家軍那樣，練就一支今日的曾家軍。古人能做到的事，今人爲什麼做不到呢？

從縣城一回到家，曾國藩就看到由湖南巡撫衙門轉遞來的四封信。其中三封是兒女親家的。一是安徽池州府知府陳源兗的，國藩的二女紀耀許給他的兒子遠濟。一是詹事府右贊善郭霈霖的，他的女兒許給國藩的次子紀鴻。一是翰林院侍講學士袁芳瑛的，國藩的大女紀靜許給他的兒子秉楨。這三封都是親戚之間的慰問信，全是客套話。國藩看後，也就扔到一邊了。另外一封，則給他帶來意想不到的喜訊，使得他的心情激動起來，並且久久不能平靜。這封信是唐鑒從北京寄來的。

唐鑒，字鏡海，湖南善化人，道光二十一年，由江寧藩司任上進京任太常卿，道光帝在乾清門接見他。這一天，曾國藩恰好隨侍在旁。道光帝獎諭唐鑒治程朱之學有成就，並躬自實踐，是個篤實誠敬的君子。道光帝對唐鑒的稱讚，引起曾國藩的深思：自己在皇上身旁，要得到皇上的重視，必須要投皇上所好；看來皇上看重的是德行的修養、是對義理之學的研究。

幾天後，曾國藩到了碾兒胡同，以弟子之禮拜謁唐鑒。年過花甲的唐鑒，已知這位同鄉後輩勤奮實在，見他如此謙卑，自投門下，樂意地收下了這個新門生。

「先生，請問檢身之要、讀書之法究在何處？」曾國藩十分恭敬地向唐鑒請教。

「當以《朱子全書》爲宗。」唐鑒撫摸著垂在胸前一尺有餘的銀鬚，腰板挺得筆直，不加思索地回答：「此書最宜熟讀，即以爲課程，身體力行，切不可視爲瀏覽之書。檢身之要，我送你八字。即檢攝在外，在『整齊嚴肅』四字；持守於內，在『主一無適』四字。至於讀書之法，在專一經；一經果能通，則諸經可旁及；若遽求專精，則萬不能通一經。比如老夫，生平所精者，亦不過《易》一種耳。」曾國藩聽了鏡海先生這番話，有昭然若發懵之感。

「古今學問，汪洋若大海，弟子在它面前，有如迷路之孩童，不知從何處起步。」關於檢身、讀書，曾國藩思索多年而不得要領，唐先生居然八個字就爲其提綱挈領了。在唐鑒面前，曾國藩深覺自己學問淺陋，他繼續請教，「先生，請問這爲學之道？」

「爲學只有三門。」國藩的提問剛落，唐鑒便以明快簡捷的語言作了回答，「曰義理，曰考核，曰文章。考核之學，多求粗而遺精，管窺而蠡測；文章之學，非精於義理者不能至。」

「經濟之學呢？」一心想要經邦濟世的曾國藩急著問。

「經濟之學即在義理中。」唐鑒的答覆明確而肯定。

「請問先生，經濟宜如何審端致力？」

「經濟不外看史。古人已然之迹，法戒昭然。歷代典章，不外乎此。」

經唐鑑逐一指點，曾國藩於學問之道和修身之法似乎一下子全明朗了。唐鑑又告訴他，督促自己修身的最好辦法是記日記，並說倭仁在這方面用功最篤實，每日自朝至寢，一言一行，坐作飲食，皆有札記，或心有私欲不克，外有不及檢者皆記出。又說自己記日記一一如實，決不欺瞞，夜晚與老妻親熱，亦記於日記中。曾國藩聽後心中暗自發笑，也佩服老頭子誠實不欺的品德。

自從跟著唐鑑學義理之學後，曾國藩開始對自己的一言一行嚴加修飾，並立下日課，分為主敬、靜坐、早起、讀書不二、讀史、寫日記、記茶餘偶談、日作詩文數首、謹言、保身、早起臨摹字帖、夜不出門十二條。又作《立志箴》、《居敬箴》、《主靜箴》、《謹言箴》、《有恒箴》各一首，高懸於書房內。朋友們見了，無不欽服。

這一天，曾國藩帶著日記，又去碾兒胡同謁見唐鑑。唐鑑審讀他的日記，見滿紙都是痛罵自己不成器的話，很是滿意。翻到二十二日的日記，看上面寫道：「自今日起改號滌生。滌者，取滌其舊染之汚也；生者，取明袁了凡之言『從前種種，譬如昨日死，以後種種，譬如今日生也』。」唐鑑稱讚：「有志氣！滌生，望你今後滌舊而生新。」

唐鑒翻到二十八日那一頁，見上面寫著：「昨夜夢人得利，甚覺艷羨。醒後痛自懲責。謂好利之心至形諸夢寐，何以卑鄙若此，眞可謂下流矣。」唐鑒面露欣色說：「好！就要這樣不講情面地痛罵，方才改得掉惡習。」說罷，轉過臉來審視曾國藩，問：「足下昨夜所夢何事？」

「昨夜夢見何紹基放廣東正考官，考完回來，得程儀五千兩，皇上又賞他一千兩，私心甚是羨慕。」曾國藩紅著臉囁嚅。

「這是好利之心未全然湔除之故。」唐鑒一本正經地說，「《中庸》上講：『莫見乎隱，莫顯乎微，故君子愼其獨也。』君子之可貴，就在於愼獨。『獨』尙能審察，世人能見之不善豈敢爲乎？滌生，你今日回去，就作一篇《君子愼獨論》，下次帶給我看。」

曾國藩滿口答應著。臨走，唐鑒又送他一本自著《畿輔水利》，一張親筆楷書條幅：「不爲聖賢，則爲禽獸。只問耕耘，不問收穫。善化唐鑒。」

跟了唐鑒一段時期，尤其在通讀了他的《畿輔水利》一書後，曾國藩看出這位理學名臣並不是埋首故紙、空談心性的書呆子，而是關心民瘼，留意經濟，學問淵懿，亦不乏謀略的能吏。同樣，唐鑒也知道曾國藩是老成深重、極有心計的幹才。以後，唐鑒、國藩師生之間往往探討程朱之學少，推究興衰治亂的歷史多。唐鑒從江寧來，又多年歷任地方官，深知民生疾苦。他覺察到大亂將至，常在密室中鼓勵曾國藩以天下爲己任，多讀史書，瀏覽輿地圖册，鑽研兵法，以備來日大用。曾國藩將唐鑑視爲黃石老人，而唐鑑也以張良期待曾國藩。

道光二十五年，唐鑑致仕。回善化老家住了一年之後，應友人之邀，到江寧主講金陵書院，很快名震江南，甚受士子們的敬重。咸豐二年七月，唐鑑奉召入京。兩個月內，咸豐帝召見十四次，極耆儒晚遇之榮。在第十四次召見時，咸豐帝向唐鑑垂詢對付太平軍的事。唐鑑鑑於江忠源的楚勇，在全州蓑衣渡獲勝及保衞長沙的戰功，向咸豐帝提出各省仿嘉慶朝辦團練的成法組建團練，並提出先在湖南舉辦。同時向咸豐帝力荐曾國藩可大用，請皇上任命曾國藩爲湖南團練大臣，授予他便宜行事之權。出於對曾國藩的深刻了解，唐鑑對咸豐帝說，曾國藩翰林出身，久任京官，對地方事不熟悉，剛開始時會有不順利，請皇上自始至終信任他。唐鑑以自己一生名望向皇上擔保，曾國藩必可成大事。

老夫子認認眞眞地用蠅頭小楷寫了一封長長的信，語氣極爲親熱，極爲誠懇。他把這次由江寧入京，皇上所給予的破格隆遇詳細地介紹一番，特別把最後一次陛見，皇上的垂詢及自己的密荐寫得更爲生動。最後，老先生用動情的語言，回憶當初四合院內，師生切磋學問、砥礪品性的情景。結尾尤使曾國藩感動：

滌生吾弟，當年在京都時，老夫即知賢弟乃當今不可多得之偉器。這次進京，凡所見之昔日朋友，談起賢弟道德學問、文章政績，莫不交口稱譽，老夫行將就木，親見賢弟已成參天大樹，私心之喜慰，非常人所能理解。老夫滿腹話欲與賢弟傾吐，詎料伯母仙逝，賢弟已回湘上，奈何！

眼下洪楊作亂，三湘正遭塗炭。南望家山，不勝悲念。常言説「時勢造英雄」，正因爲禍亂併發，乃英雄崛起之時，故老夫才向皇上竭力推荐，並以一生薄名爲賢弟擔保。所幸皇上已簡記在心矣。

孟子曰「天將降大任于斯人也，必先苦其心志，勞其筋骨」，賢弟數十年來，已備嘗人世艱苦，現正當年富力強，擔當大任之時，況賢弟素有以天下爲己任之壯志，此爲老夫所深知。老夫往日與賢弟，一起讀聖賢之書，講經世之學，所爲何事？豈不正是爲今日拯黎民於水火之中，挽狂瀾於既倒之時！雖然，老夫亦知，今日辦事，千難萬難。但古人説得好：世無艱難，何來人傑？此中道理，吾弟自明。老夫已矣，一生庸碌無能，今爲衰朽殘陽，雖有報效之心，實乏濟世之力。老夫常以晚年得遇賢弟而自慰。酬皇上厚恩，展生平懷抱，正當時也，願吾弟好自爲之。切切。

曾國藩拿著唐鑒的這封信，反覆看了幾遍，心潮澎湃，起伏不安。當年在先生安靜的四合院內，師生之間不知多少次探討過歷代的治亂興衰，對張良、陳平、諸葛亮、王猛、謝安、魏徵、房玄齡、范仲淹、司馬光、張居正等人的輝煌相業，神往不已。也曾暗暗下了決心，今生一定要入閣拜相，幹一番轟轟烈烈的事業，讓史官將自己的業績記在青史上，激勵後世讀書人。他想起謝絕張亮基相邀之事。正是要自己辦大事的時候，爲何如此瞻前顧後、疑慮重重呢？「世無艱難，何來人傑？」唐鑒的話像悶雷一樣，在耳邊沉重地響起。「國藩啊國藩，平素漫自矜許，當時機來到之時，你却畏葸不前，害怕困難，這不是懦弱無能嗎？」曾國藩捧著唐鑒的來信，在椅子上正襟危坐，對自己提出了嚴厲的責問。

三　接到嚴懲岳州失守的聖旨，張亮基暈死在簽押房裏

正當曾國藩在羅澤南的感染和唐鑒的激勵下，對辦團練躍躍欲試的時候，太平軍的一次大捷，震撼了湖南全省九府四州，也狠狠地給曾國藩當頭一瓢冷水。

太平軍撤出長沙後，由寧鄉進入益陽，從臨時搭成的浮橋上渡過資江，在桃花侖迎擊向榮所統率的尾追清軍，大獲全勝，陣斬清總兵紀冠軍，殺死兵勇七、八百人。向榮敗退寧家鋪。

這時，資江水大漲。洪秀全下令全軍集中一切船隻，將所有糧草輜重裝在船上，浮江而下。另由翼王石達開率七千人馬，由陸路護船前進，取道三里橋、蘭溪市、西林港至王家坪上船

。最後，全體人員由臨資口進入湘江。

在益陽動身之前，洪秀全派遣兩名拜上帝會的老兄弟，悄悄潛入岳州城，與巴陵人晏仲武接上頭。晏仲武是當地漁民中的頭領，為人有心計、有膽量。一年前，廣西拜上帝會的重要成員杜子嬰，在巴陵購地建房，暗中從事反清活動。晏仲武與之聯系密切，後一同隨往廣西，加入拜上帝會。永安建制時，晏仲武被封爲岳州軍帥。他在岳州積極發展會員，許多漁民參加了拜上帝會，形成一股不小的勢力。

在臨資口江面上，洪秀全命令繞過湘陰縣城，直接挺進岳州府。當太平軍圍攻長沙的時候，湖北巡撫常大淳害怕太平軍北下武漢，派提督博勒恭武駐防岳州。臨湘知縣張開霽急忙駐防羊樓司，吳南屏之弟、巴陵紳士吳士邁强募漁民二千人組建水營駐防土星港。這二千漁民中有晏仲武手下三百多個兄弟，在太平軍的戰船駛進土星港時，這三百兄弟一齊嘩變，土星港水營頃刻土崩瓦解。博勒恭武和岳州知府廉昌、巴陵知縣胡方穀、參將阿克東阿聞訊倉皇逃走。晏仲武乘機在城裏起事，擊敗清軍副將巴圖，奪得倉庫中三萬兩銀子軍餉，併一舉拿下梁夫峴、隆奉庵、黃福灘等要地。太平軍順利進駐岳州城。

太平軍在岳州繳獲大批餉糈、火藥、槍械，並意外地發現三十門吳三桂留下的銅炮。這批銅炮封存在武庫中，從來沒有人過問，擦去銹漬灰塵後，依然閃亮耀眼，十分令人喜愛。裝上火藥一試，效果極佳。這三十門大炮的發現，和藥王廟明朝傳國玉璽的發現一樣，極大地鼓舞了全軍的士氣。大家都認爲，這是上帝爲太平軍打天下所保存的武器。幾天之間，岳州城內城外投靠太平軍的人絡繹不絕，隊伍迅速由五萬擴大到十萬。洪秀全又任命近日投靠的、原停泊在岳陽樓下的祁陽商船主唐正財爲典水匠，職同將軍，正式建立水營。水師也由五軍擴爲九軍，共一萬五千人。這時，太平軍從諸王到普通士兵，人人喜氣洋洋，軍威大振。全軍在岳州城休整十天，然後在一片鞭炮鑼鼓聲中，順流向武昌進發。

岳州失守的奏折以日行六百里的速度報告朝廷，咸豐帝大爲震怒，立即命軍機起草，頒布上諭：一、巴陵知縣胡方穀、參將阿克東阿即行處斬；二、岳州知府廉昌監候秋後處決，博勒恭武革職拿問；三、任命兩廣總督徐廣縉爲欽差大臣、署理湖廣總督，即赴武昌防守，原湖廣總督程矞採革職。

張亮基拜讀上諭後，兩眼滯呆，雙手冰涼，彷彿眼前擺著的不是煌煌聖旨，而是胡方穀、阿克東阿、廉昌血淋淋的頭顱。一整天，他茶飯不思，六神無主，像木偶似的坐在簽押房裏。岳州失守的凶訊沉重地壓在巡撫衙門的上空，衙門內外死一般的沉寂，慶賀長沙解圍的歡樂氣氛，已被徹底掃蕩乾淨。張亮基眼前浮現出幾天前長沙城激戰的慘像，幸虧長毛主動撤走，否則，長沙城的命運會和岳州城一樣。但長毛用兵狡詐，說不定哪天又會突然揮師南進，攻下長沙。那時自己的這顆頭顱不是被長毛砍下，便是被朝廷砍下。張亮基想到這裏，眼前一黑，從太師椅上摔了下來……。

「好了，終於醒過來了！」當張亮基睜開雙眼時，看見夫人正垂淚守候在他的身旁。他這才發現自己已躺在臥房裏。天已黑了，燭光下，依稀看見潘鐸、江忠源、左宗棠等人站在臥榻四周。張亮基招呼他們坐下。

「岳州失守，皇上震怒，諸位都已看到上諭，真令人痛心啊！」喝下一口參湯後，張亮基的精神好多了。

「胡方穀等棄城逃命，上負朝廷之寄托，下違大人之軍令，殺頭不足恤；請大人不必憂傷，務望保重。」江忠源很鄙夷胡方穀等人的行爲。他心裏想，這樣的人，如在我的手下，不待朝廷下令，早就先把他殺了。

張亮基點點頭，說：「我並不是憐恤他們。身爲一城之主，臨陣脫逃，理應斬首，以肅國法軍紀。我是在想，將士們如何這般不中用，任長毛橫衝直撞。現在長毛並未撤離湖南，保不定他們哪天又回過頭來打長沙。湖南境內的兵禍何日是了啊！」

「長沙的戒備不能鬆。」潘鐸和張亮基有同感。

左宗棠沒有作聲。對岳州失守、守城文武出逃一事，他認為不屑一提。在他的心目中，那些人不過是一班酒囊飯袋而已，本來就不夠資格擔此重任。是誰把這批廢物提拔上來，安置在這個重要的位子上呢？還不是朝廷的決定！現在出事了，殺他們來出氣，有什麼用呢？第一個該譴責的，是中樞那些決策者們。無用之輩占據要津，自己滿腹經綸，連個進士都沒取中。他越想越氣，乾脆緊閉雙唇，不發表意見。

又喝下兩口參湯，張亮基的精神全恢復了。他想，正好趁著大家都在這裏，談談省里辦團練和請曾國藩出山的事，便把一份稟報遞給潘鐸，說：「今天瀏陽縣來了一份稟報。最近，縣里又鬧出一莊大案。徵義堂堂長周國虞殺了獅山書院廩生王應蘋，封存糧倉，强迫有錢人打造武器，準備造反。長毛已鬧得天翻地覆了，再加上這些土寇又吵得各地不得安寧，我們縱有三頭六臂，也不能應付。前向，我跟諸位商量過團練的事，大家也認為全省都可以仿照湘鄉、新寧等縣的樣子，把團練辦起來。一則可以抵禦發逆的入侵，二則可以鎮壓當地土寇，三則還可以清除奸細，整肅民風。這次岳州失守，關鍵原因是奸細在內部作亂，地方失察。倘若沒有晏仲武作內應，岳州城決不可能陷落。」

「晏仲武的事，早一個月前就有人告發過，我也札飭廉昌嚴加查訪。誰知廉昌稟報說，晏仲武辦理水營賣力，一貫襄助官府，忠誠可靠，請求平息誹謗，奬勵晏某，勿寒忠良之心。眞眞糊塗昏庸，忠奸不辨！」潘鐸氣憤地說。

張亮基說：「各縣辦團練，全省要有一個人來總管。前向我們議定請曾滌生侍郎來主持。早幾天，他回信說要在家終制，不能出山。不知那是客氣，還是眞的不願出？」

潘鐸說：「曾滌生要在家終制，也是實情。人同此心，不可强求，那就再請別人吧！」

「你看請誰呢？」左宗棠望著潘鐸問。

「如果沒有更合適的人，還是請羅澤南到長沙來吧！」

「羅澤南威望淺了，不合適。」張亮基不同意。

江忠源說：「此事非滌生不可，別人誰都辦不好。」

「也不是說除滌生外就沒有第二人了。不過，目前從資歷、地位和才具幾個方面來看，還只有曾滌生比較合適。」左宗棠一邊瀏覽瀏陽縣的稟報，一邊說，「關鍵是要弄淸滌生不願出山的原因。依我看，潘大人剛才說的，尙不是主要原因，那只是推辭的理由。」

「你看眞正的原因在哪裏?」張亮基問。
「我看眞正的原因，是滌生對自己辦好團練一事沒有信心。這也難怪，他雖然兼過兵部左堂之職，其實並沒有親歷過兵事。滌生爲人，素來膽小謹愼，現在要他辦團練，和兵勇刀槍打交道，他不免有些膽怯，要找個人給他打打氣才行。」
「季高說得對!要能找到一個滌生平素最相信的，又會說話的人去說動他，他是會出山的。我了解他。他雖膽小謹愼，但也不是那種只圖平平安安，怕冒風險的人。」江忠源說。
「能夠把滌生說動當然好，誰去當說客呢?」潘鐸問。
「我倒想起一個人。」左宗棠故意放慢語調。
「誰?」張亮基迫不及待地問。
「他是我的同鄉，目前正丁憂在家，隱居東山梓木洞……」
「哦!我知道了，你說的是我的同年郭筠仙。」江忠源打斷左宗棠的話。
「對!就是郭嵩燾。滌生與他的交往，又勝過與我和岷樵的交往。他去勸說，比我們幾個都合適。」
江忠源點頭說:「滌生朋友遍天下，最知己者莫過於二仙——筠仙和霞仙，筠仙去一定可以說動。」

左宗棠說：「還有一個重要原因。郭筠仙這人事業心極重，他想匡時濟世，但又無領袖羣倫之才，只能因人成事。他正要依靠曾國藩做一番事業，所以他會全力相勸。」

江忠源笑道：「還是季高知人論世，高出一籌，滌生和筠仙的心坎，都讓你摸到了。」

「上次請朝廷詔命曾滌生辦團練的奏折，朱批大概也快發下來了。先讓郭筠仙去勸說，再加皇上的命令，不容他曾滌生不出山。」張亮基淒然一笑。

潘鐸請張亮基好好休息一晚，便和江忠源、左宗棠一起退出臥室。當夜，左宗棠修書一封，又順便也給周夫人寫了封家信。第二天一早，便派一匹快騎送往東山去。

四　陳敷游說荷葉塘，給大喪中的曾府帶來融融喜氣

郭嵩燾五年前中進士點翰林，還未散館，母親便病逝，幾個月後，父親又跟著母親去了，於是他母憂、父憂一起丁。太平軍圍長沙時，他估計馬上就會到湘陰來，遂舉家遷移東山梓木洞。在幽深的山谷裏，郭嵩燾詩酒逍遙，宛如世外神仙。這幾天好友陳敷來訪，他天天陪著陳敷談天說地，訪僧問道。陳敷字廣敷，江西新城人，比郭嵩燾大十餘歲，長得頎長清癯。陳敷

爲學頗雜，三教九流、天文地理，他都曾用功鑽研過。更兼精通相面拆字、卜卦扶乩、奇門遁甲、陰陽風水，頗有點江湖術士的味道。

這天，郭嵩燾正與陳敷暢談江湖趣事，家人送來左宗棠的信。

「這眞是一句老話所說的：洞中方數日，世上已千年。」郭嵩燾看完信，十分感慨地說，並隨手將信遞給陳敷，「我來梓木洞才多久，就好像與世隔絕了似的。不知季高已當上巡撫的師爺，更不知滌生已奔喪回到荷葉塘。眞正是神仙好做，世人難爲。」

郭嵩燾說話間，陳敷已把信瀏覽了一遍，笑著說：

「左師爺請你當說客哩！」

「我和滌生相交十多年，他的爲人，我最清楚。這個使命我大概完成不了。」

「也未見得。」陳敷頭靠牆壁，隨隨便便地說：「曾滌生侍郎，我雖未見過面，但聽不少人說過，此人志大才高，識見閎通，是當今廷臣中的鳳毛麟角。他素抱澄清寰宇之志，現遇絕好機會，豈會放過？我看他的推辭，只是做做樣子而已。筠仙此去，我包你馬到成功。」

「兄台只知其一，不知其二。」郭嵩燾搖搖頭說，「曾滌生雖胸有大志，但處事却極爲謹愼。一事當前，顧慮甚多。這樣大的事情，要說勸他，頗不容易。況且他在籍守制，亦是實情。別人墨經在身，可以帶孝辦事，官場中甚至還有隱喪不發的醜聞。但曾滌生素來拘於名節，他不會做那種惹人取笑的事。再說他一介書生，練勇帶兵，非其所長，能否有大的成效，他也不能不有所顧慮。」

陳敷笑笑：「你還記得他的那首古風嗎？」

「不知你說的是哪一首？」

「曾侍郎的詩文，海內看重，每一篇出，士人爭相傳誦，我亦甚爲喜愛。你是他的好友，於他的詩作自然篇篇都熟。我背幾句，你就知道了。」陳敷搖頭晃腦地吟唱，「生世不能學夔皋，裁量帝載歸甄陶。猶當下同郭與李，手提兩京還天子。三年海國困長鯨，百萬民膏喂封豕。諸公密勿既不藏，吾徒迂疏尤可恥。高嵋山下有弱士，早歲儒林慕正軌。讀史萬卷發浩嘆，餘事尚須效臏起。」

「知道知道，這就是那首《戎行圖》了。」

「讀其詩，觀其人，我以爲，謹慎拘名節是其外表，其實，他是一個渴望建非常之業，立非常之功，享非常之名的英雄豪傑式的人物，而不是那種規規然恂恂然的腐儒庸吏。」

郭嵩燾不禁頷首：「仁兄看人，燭幽顯微，眞不愧爲相面高手。」

說罷，二人一齊笑起來。過一會，陳敷問：「你剛才提起相人一事，我問你一句，曾侍郎是否也信此事？」

「滌生最喜相人，常以善相人自居。」

「這就好！」陳敷得意地說，「在梓木洞白吃了半個月的飯，無可爲報，我陪你到湘鄉走一遭，助你一臂之力如何？」

郭嵩燾是個極聰明的人，立即明白他的意思，連忙說：「好極了！有仁兄相助，一定會成功。」

過幾天，郭嵩燾、陳敷二人上路了。他們先到長沙見過左宗棠。左宗棠拿出一封翰林院侍講學士周壽昌的信。郭嵩燾看完信後很高興，說：「荇農這封信來得及時，正好爲我此行增加幾分力量。」便向左宗棠要了這封信，繼續向湘鄉走去。

這一天，二人來到湘鄉縣城，揀一家不起眼的小旅店住下。夜裏，郭嵩燾將曾國藩的模樣細細地向陳敷描繪一番，然後又將曾氏一家的情況大致說了說，並仔細畫了一張路線圖。

第二天一早，陳敷告別暫留縣城的郭嵩燾，獨自一人向荷葉塘走去。當天晚上宿在歇馬鎮。次日午後，陳敷遠遠地望見一道粉白色圍牆，便知曾府已經到了。他緩步向曾府走去，見禾坪左邊一口五畝大塘的塘埂上站滿了人。十多條粗壯漢子正在脫衣脫褲，個個打著赤膊，只穿條短褲。湖南的初冬，天氣本不太冷，且今天又是一個少見的和暖日子。那些漢子們喝足了燒酒，半醒半醉的，吆喝一聲，毫不畏縮地牽著一張大網走向水中，然後一字兒擺開，向對岸游去。一會兒，塘裏的魚便嚇得四處蹦跳。頭大身肥的鱅魚在水面驚慌地拱進拱出，機靈强健的鯉魚則飛出水面，翻騰跳躍。站在塘埂上的觀衆，也便飛躍著跑向對岸。塘裏打魚的漢子們開始收網了。兩邊的人把網向中央靠攏，數百條肥大的草、鯉、鰱、青、鱅魚東蹦西跳。陽光下，銀鱗閃耀，生機勃勃，煞是逗人喜愛。

陳敷這時看見塘埂上站著一位長臉美髯、寬肩厚背、身著青布長袍的中年人，正在對人指指點點說著話，不時發出哈哈大笑聲，隨著魚網的挪動而移步，像個孩子似地喜笑顏開。陳敷心想：這人大概就是曾國藩了。常聽人說曾國藩嚴肅拘謹，一天到晚正襟危坐，但眼前這人却天眞畢露，純情爛漫。「難道是他的弟弟？筠仙說曾國藩有個弟弟極像他。」陳敷想。他走上前問：「請問大爺，曾侍郎的府第在這裏嗎？」

「正是，先生要找何人？」

「山人聞曾侍郎已回家奔母喪，特來會他一會。」陳敷見那人收起笑容後，兩只三角眼裏便射出電似的光芒，心中暗暗叫絕。

「先生會他有何事？」

「山人雲遊湘鄉，見離此不遠的兩屏山，有一處吉壤，這塊地，全湘鄉縣沒有任何一人有此福分，唯獨曾府的老太太福壽雙全，可配葬在那裏，故山人特來告知曾侍郎。」

那人面露微笑說：「鄙人正是曾國藩。」

陳敷忙說：「山人不知，適才多多冒犯大人。」

說罷，連忙稽首。曾國藩爽朗一笑：「先生免禮。國藩今日在籍守喪，乃一平民百姓，先生萬勿再以大人相稱。賤字滌生，你就叫我國藩或滌生吧！」

陳敷原以爲曾國藩必定是個城府極深的人，見他如此爽快平易，不覺大喜，不待曾國藩問，便自我介紹：「山人乃江右陳敷，字廣敷，欲往寶慶尋一友人，路過貴鄉，聞大人，」陳敷話一出口，又含笑改口，「聞大爺已丁憂回籍。欲來拜謁，恨無見面之禮，也不知老太太已下葬否，遂在附近私下尋找四、五天，昨日覓到一塊絕好吉壤，故今日專來拜訪。」

「難得先生如此看得起，令國藩慚愧，請先生到寒舍敘話。」

曾國藩帶著陳敷進了書房，荊七獻茶畢。曾國藩說：「剛才先生說在兩屏山覓到一吉壤，國藩全家感激不盡。實不相瞞，家母靈柩一直未下土，爲的是在等地仙的消息。」

「尋常地仙，不過混口飯吃而已，哪裏識得眞正的佳城吉壤。」

「誠如先生所言。鄙人早先本不信地仙，家大父生前亦不信三姑六婆、巫師地仙。」

「混飯吃的油嘴地仙，固不值得相信，但風水地學却不能不信。」陳敷正色道，「當年赤松子將地學正經《青囊經》三卷授黃石公，黃石公又將它傳給張良，張良廣收門徒，傳之四方，造福人類。其中卷《化機篇》說得好：「天有五星，地有五形，天分星宿，地列山川，氣行於地，地麗於天，因行察氣，以立人紀。」地氣天文本爲一體。人秉天地陰陽二氣所生，豈能不信地學？地學傳到東晉郭景純先生，他著《葬書》，將地學大爲發展，並使陰宅之學更臻完善。《葬書》上說：「占山之法，以勢爲難，而形次之。勢如萬馬，從天而下，其葬王者。勢如巨浪，重嶺疊嶂，千乘之葬。勢如降龍，水繞雲從，爵祿三公。勢如重屋，茂草喬木，開府建國。勢如驚蛇，曲屈徐斜，滅國亡家。勢如戈矛，兵死形囚。勢如流水，生人皆鬼。」可見，這陰宅之學，功夫深得很，不是輕易能探求得到的。」

曾國藩聽陳敷說出這番話來，知他學問淵懿，遂點頭說：「先生之言很有道理。自從家祖母下葬七斗沖，鄙家發達之後，國藩也就相信陰宅地學了。」

「令祖母下葬七斗冲後，家裏有哪些發達？」

「自從家祖母葬後，第二年，國藩便由從四品驟升從二品，後來六弟入國子監，九弟亦進了學。」

陳敷哈哈笑道：「令祖母下葬的七斗冲，山人特地去看過。那裏前濱涓水，後傍紫石山，出路仄逼，草木不豐，只能算塊好地，夠不上吉壤佳城。所以它只保祐得大爺官升二品，令弟亦只能入監進學。七斗冲何能跟兩屏山相比！這兩屏山葬地，」陳敷說到這裏，有意停了一下，兩目注視曾國藩，見他凜然恭聽，便輕輕地說：「不是山人討好大爺，這兩屏山葬地，將保祐尊府家業如鮮花著錦、烈火烹油，日後將成爲當今天子之下第一家。」

曾國藩兩隻三角眼裏射出驚詫而灼熱的光輝，激動地說：「倘若眞如先生所言，國藩將以千兩銀子相報！」

陳敷搖頭，淡淡一笑，說：「山人生計自有來路，這些小技，乃興之所至，偶一爲之。漫說千兩銀子，便是萬兩黃金，山人亦分文不受。」

曾國藩見陳敷並非爲金錢而來，對他更加敬重，也更相信了，便客氣地說：「待先生用完飯後，我陪先生一起到兩屏山去看看。」

兩屏山離白楊坪只有十里路。吃完飯後，國藩帶著滿弟國葆，陪陳敷一起徒步來到兩屏山。三個人在山前山後看了一遍，然後登上山頂。陳敷指著山勢，對曾國藩說：「大爺，這兩屏山乃是一隻大鵬金翅鳥。你看，」陳敷遙指對面山峯說，「對面是大鵬的左翼，我們腳下是其右翼。」陳敷又指著山下的一條路說，「這是大鵬的長頸。大爺看，遠處那座小山是大鵬的頭，後面那個山包是大鵬的尾。」

這一帶，曾國藩從小便熟悉，只是從來沒有站在山頂，作如此俯瞰。經陳敷一指點，他越看越像，彷彿眞是莊子《逍遙游》中所描繪的那隻「展垂天鳥雲之翼，擊三千里之水，摶扶搖而上九萬里」的大鵬神鳥。陳敷又指著尾部說：「我昨天看到那裏有一座修繕得很好的墳墓，也不知是哪位地仙看的，算是有眼力。」

曾國藩順著陳敷的手指方向看去，說：「那座墳我知道，不是哪個特意看的，而是無心碰上的。」

「無心碰上的？」陳敷驚奇地問，「怎麼碰得這樣好？」

「我們荷葉塘流傳著這樣一個故事。」曾國藩緩緩地說：「前明嘉靖年間，賀家坳有個賀三婆婆，帶著一個十二歲的兒子，兒子名喚狗伢子。母子二人終年在荷葉塘一帶以乞食爲生。那年大年三十，風雪交加，母子倆乞討回家途中，路過兩屏山時，賀三婆婆一脚未走穩，從山上滾到山脚，摔死在一塊石頭邊。狗伢子抱著母親痛哭，想自己家無尺寸之地，如何埋葬呢？只好就地挖了一個坑，把母親掩埋了。狗伢子埋葬母親後，便離開荷葉塘，遠走他鄉。四十年後，狗伢子在外鄉發財致富，三個兒子也都得了功名。他帶著大把錢衣錦還鄉，鄉親們都說是賀三婆婆的墳地好。於是狗伢子將母墳修繕一新，並請人年年代他祭奠。」

「哦！原來這樣。」陳敷笑著說，「這賀婆婆葬在大鵬鳥的尾巴上，保祐了後人發財致富得功名，這便是這塊寶地的明證。我現在看中的是大鵬鳥的嘴口，那才是勝過尾部千百倍的好地。大爺請下山，我陪你親自去看看。」

三人一起來到被陳敷稱之爲大鵬嘴口的小山邊，只見此地山峯三面壁立，中間一塊凹地。山不高，却林木葱蘢，尤其是那塊凹地，芳草豐盛，雖是冬天，亦青青翠翠。環繞四周的是一條清澈見底的小溪，溪中時見游魚出沒。曾國藩心中讚道：「果然一塊好地。」

「大爺看此地山環水抱，氣勢團聚，草木葱郁，活力旺盛。這種山、水、勢、氣四樣俱全的寶地，世上難得。」

曾國葆這裏瞧瞧，那裏看看，連連點頭：「陳先生說得不錯，這方圓百來里地面，確實再也找不出一塊這樣好的地來。」

陳敷說：「自古以來，風水之事不能不講。當年朱洪武貧不能葬父母，禱告上天，代爲看管，用蘆席將父母屍體包好，淺淺下葬。後來，掃平羣雄，據有天下，打發劉伯溫到鳳陽老家營造皇陵。劉伯溫看了看朱洪武父母的葬地，對人說：『原來皇上的雙親葬在龍口裏，怪不得今日坐江山。』」

說到這裏，曾國藩、曾國葆都笑起來。陳敷繼續說：「葬在龍口出天子，葬在鳳口出皇后，葬在大鵬口裏出將相。大爺，請再也不要遲疑，就將老太太的靈柩下葬此地吧！」

曾國藩高興地說：「先生說得好，過些日子，就把靈柩移來，葬在這裏。」

陳敷又打開羅盤，細細地測了一番，削一根樹枝插在凹地上，說：「這裏便是金眼的正中處，讓老太太頭枕山峯，脚踏流水。」

說罷，三人一起離開大鵬金翅鳥的嘴口回白楊坪。

聽說來了位奇人，給老太太尋了一個絕好佳城，可以保祐曾府大吉大利，闔府上下，無不歡喜。曾麟書也過來見了陳敷，說了幾句感謝話。晚飯時，曾氏五兄弟都陪著陳敷吃飯，以示謝意。晚飯後，曾國藩把陳敷請進書房，秉燭夜談。陳敷浪迹江湖幾十年，一肚子奇聞異事，今日又因有所爲而來，更是滔滔不絕。曾國藩也將朝中一些有味的故事，揀了一些說說。二人談得甚是投機。

「三個月前，我住在長沙，那正是長毛圍攻長沙最緊張的日子。」陳敷有意將話題扯到戰事，並刺激他，「虧得張中丞居中調度，更兼左師爺出謀策畫，親臨指揮，江將軍率楚勇拚死抵抗，終於保住長沙幾十萬生靈免遭蹂躪。山人想，左師爺、江將軍都只是文弱書生，何來如此膽識魄力。從左、江身上，我看到湖南士子的氣概，眞佩服不已。」

這幾句話，說得曾國藩心裏酸溜溜的，他强作笑容說：「湖南士人爲學，向來重經世致用，大都懂些軍事、輿地、醫農之學，不比那些光會尋章摘句的腐儒。」

「大爺是湖南士人的榜樣，想大爺在這些方面更爲出類拔萃。」

曾國藩頗難爲情地一笑，說：「鄙人雖亦涉獵過兵醫之類，但究竟不甚深透。左、江乃人中之傑，鄙人不能與之相比。」

陳敷道：「大爺過謙了。想大爺署兵部左堂時，慨然上書皇上，談天下兵餉之道，是何等地鞭辟入裏、激昂慷慨；擧江忠源等六人爲當今將才，又是何等地慧眼獨具，識人於微。依山人之見，左、江雖是人傑，但只供人驅使而已，大爺才眞是領袖羣倫的英雄。」

「先生言重了。不過，國藩倒也不願碌碌此生，倘若長毛繼續作惡下去，只要朝廷一聲令下，國藩亦可帶兵遣將，乘時自效。」

說到這裏，陳敷見其三角眼中兩顆榛色眸子分外光亮，暗想：曾國藩動心了。陳敷有意將曾國藩諦視良久。曾國藩感到奇怪，問：「先生爲何如此久看？」

陳敷說：「今日初見大爺時，見大爺眉目平和，有一股雍容大方、文人雅士的風度。適才與大爺偶談兵事，便見大爺眉目之間，出現一股威嚴峻厲、肅氣凜冽之氣。當聽到大爺講帶兵遣將、乘時自效時，此氣驟然凝聚，有直沖鬥牛之狀。」

曾國藩見陳敷說得如此玄奧，大爲驚訝。暗想：這陳敷莫不就是古時呂公、管輅一類人物。曾國藩往日讀書，就十分留意那些隱於占卜星相中的奇人。他細看眼前這位學問博洽、談吐不俗，不畏旅途艱難，無償地送來一處絕好吉壤的江右山人，心中頓起敬意。他自己喜歡看相，便趁機問道：「史書上載有星相家呂公、管輅的事，斷人未來吉凶，毫髮不差，眞是神奇。請問先生，這人之貧富壽夭，眞能夠從骨相上判斷出來嗎？」

「當然可以。」陳敷斷然答道，「《孔子三朝記》上說：『堯取人以狀，舜取人以色，文王取人以度。』古代聖賢選擇輔佐，總先從骨相著眼，而所選不差，足可資證。玉蘊而璞，山童而金，犬馬鶉翬，相之且有不爽，何況於人。只是人心深微，機奧甚多，相準不易。」

「先生高論。」曾國藩心中歡喜，又說：「照這樣說來，這相人之事可以相信了。」

「相人之事，有可信，亦有不可信。」陳敷侃侃而談，「若是那種掛牌設攤，以此謀生之輩，其相人，或迎合世人趨吉好利之俗念，或爲自己某種意願目的，往往信口雌黃，亦或阿紅踩黑，此不過是攫人銀錢的騙局而已。若夫博覽歷代典籍，推究古今成敗，參透天地玄黃，洞悉人情世態者，其平日不輕易相人，要麼爲命世之主指引方向，要麼爲輔世之才指明前途，要麼爲孝子節婦擺脫困境，胸中並無一絲私欲。其所圖者，爲國家萬民造福，爲天地間存一點忠孝仁義之氣。這種人不相則已，相則驚天動地。如此星相家，豈可不信？」

曾國藩頻頻頷首，說：「先生所論，洞察世情，不容鄙人不佩服。不過，鄙人心中有一段往事，其中緣故，一直不解。先生可否爲我一釋？」

「大爺有何不解之事，不妨說與山人聽聽。」

「那是二十年前的事。」曾國藩緩慢地說：「那年國藩尚未進學，一次偶到永豐鎮趕集。見集上一先生，身旁豎起一塊布幡，上書『司馬鐵嘴相命』六個大字。我那時正爲自己年過二十，尚無半個功名而苦惱，便走到司馬鐵嘴面前，求他相一相，看此生到底有沒有出息。司馬鐵嘴將我左瞧右看，好半天後，沉下臉說：『先生是喜歡聽實話，還是喜歡聽奉承話？』我心頭一驚，自思不妙。但既然已坐到他的對面，便不能中途走掉，於是硬著頭皮說：『當然要聽實話。』司馬鐵嘴把我又細細端詳一番，說：『不是我有心嚇唬你，你這副相長得很不好，滿臉凶氣死氣，將來不死於囚房，便死於刀兵。我說了實話，你心中不舒服。你這就走吧！我也不收你的錢，自己今後多多注意。』我聽了好不晦氣，一連幾個月心神不定。誰知我第二年就進了學，第三年便中了舉，再過幾年，中進士點翰林，一路順利。點翰林回家的那年，我特地到永豐鎮去找司馬鐵嘴，誰知再也找不到了。別人說，司馬鐵嘴知我回來修譜，嚇得半個月前便逃走了。陳先生，你說那個司馬鐵嘴的話可信不可信？」

「哈哈哈！」陳敷一陣大笑，心想：怪不得他不願出山辦團練，是怕死於刀兵之中，必須徹底打消他這個顧慮。「有趣！有趣！司馬鐵嘴可惜走了，不然，山人倒要去見識見識這個至愚至陋的算命先生。」山人想那司馬鐵嘴一定是多時沒有生意，窮極無聊，拿大爺開心取笑罷了。大爺的長相，倘若在不得志之時，雙眉緊蹙，目光無神，兩頰下垂，嘴角微閉，的確給人一副苦難中人的感覺。但那個鐵嘴忘記了相書上所說的『相隨心轉』的道理。大爺這副相，若長在心腸歹毒、邪惡多端人的臉上，或有所得。但他不知，大爺乃堂堂正正偉男子，是忠貞不二、嫉惡如仇的志士，一顆心千金不換，萬金難買。可惜他一個庸人，哪能看得透澈？何況大爺十多年來為學勤勉，為官清正，紓君主之憂，解萬民之難，在刑部為百餘人洗寃伸屈，在工部為數十州縣修路架橋，功德廣被人世，賢名遠播四域。大爺面相，已早非昔日了。」

陳敷這盆米湯，灌得曾國藩喜孜孜、樂融融，連聲說：「先生言之有理，言之有理。」

「山人從今日午後來，便留心大爺面相、骨相。見大爺山根之上，光明如鏡，額如川字，驛馬骨起，三庭平分，五岳朝拱，三光興旺，六府高强。此數者，若備一種，都大有出息。大爺全兼足備，前程不可限量。且骨與肉相稱，氣與血相應。無論從面相骨相而言，均非常人所有。看來大爺位至將相，爵封公侯，是指日可待之事。」

曾國藩連連擺手，說：「先生這番話，鄙人擔當不起。想鄙人出身微末，秉性愚鈍，有今日之名位，亦大出意外，何敢望公侯將相之榮貴。」

「王侯將相，寧有種乎！」陳敷說，「歷來農家出俊秀，大爺不必自限。我細思過，相書上所言，類似大爺骨相者，古來只有三人。即唐之郭汾陽、裴相國，明王文成公，然則三人皆以平亂之功而名垂史冊。如此看來，大爺也將要從此發迹。」

曾國藩想到對張亮基邀請的推辭，一時陷於沉思。陳敷見曾國藩不語，便繼續說下去：「大爺，貴府昆仲，山人今日有幸得以謁見，不是山人面諛，大爺兄弟五人，個個正樹芝蘭，人人官秩隆盛，尤以大爺和九爺面相最好，將來都可列五等之爵。」

「如先生之言，國藩亦可置身戎間，上馬殺賊了？」

陳敷點頭，說：「山人這些年來夜觀天象，見軫翼之間將星特別明亮，在軫星十六度處有一將星尤其耀眼。軫星十六度下應長沙府。故山人這幾年一直在荊楚一帶遊歷，廣結英雄豪傑。今日一見大爺，心中暗自詫異。自思相人三十餘年，足迹遍天下，從未見過大爺這等骨相的人。昨日又遇大鵬金翅鳥之嘴。如此看來，天意已在大爺昆仲身上，請萬勿錯過好時機。古人云，天賜不與，反受其咎。請大爺好自爲之。山人所言實乃天機，幸勿與外人道。」

曾國藩神色莊嚴地點了點頭。這時，曾府的報曉鷄已發出第一聲啼叫，曾國藩吹熄燈，與陳敷對床而臥。

日上三竿，陳敷起床，曾國藩早已不見。曾國藩將昨夜與陳敷的一番話，擇要告訴了諸弟。四個弟弟，個個歡喜。想當今滿目刀兵，遍地狼烟，正是男兒爭功名、獵富貴的好時候，莫不是天遣異人來指引方向？曾府上下將陳敷看得如同神仙似的。兄弟五人齊陪伴陳敷吃早飯。飯畢，陳敷告辭。曾國藩命荊七取出百兩白銀來，酬謝陳敷看地之勞。陳敷笑了笑，輕輕用手推開，說：「待大爺功成名就之後，再賞山人不遲。」

曾國藩將陳敷送出大門外二里路遠，國潢、國華、國荃、國葆四兄弟又將陳敷送到賀家坳後，才彼此拱手作別。

五　郭嵩燾剖析利害，密謀對策，促使曾國藩墨經出山

陳敷返回湘鄉縣城旅店，將此行經過一五一十地告訴郭嵩燾。嵩燾大喜道：「廣敷兄，你不僅會看相看風水，巧舌如簧，還會察訪民情，連荷葉塘死了幾百年的賀三婆婆的墳都給你派上用場了。」

陳敷得意地笑道：「賀三婆婆的墳給那塊風水寶地作了最好的證明。不然，我與曾侍郎素不相識，他們何以會相信我呢？」

郭嵩燾也笑道：「不是賀三婆婆給你的寶地以證明，怕是你的寶地是受賀三婆婆的啓發吧！」

陳敷大笑起來。笑完後，正色道：「筠仙，你不要說風涼話。這風水地學的確不可不信。你想想看，若不是父母葬得好地，朱元璋一個要飯的和尚，怎麼會當起九五之尊來呢？」

郭嵩燾點頭說：「對風水之說，我取聖人的態度，也學個子不語。既不信，亦不貶。」

「幸好曾侍郎一家不取你的態度。不然，我這一套就吃不開了。」陳敷一邊說，一邊收拾行李，「筠仙，對曾侍郎，我講的是虛，你這次去要講實，實實在在地剖析局勢，打消他的顧慮。他不是二十幾歲的熱血青年，不會因爲我那幾句空頭話，就會不顧一切地出山辦事。曾侍郎常對人說要實事求是。我那一番話，會對他起些作用，但關鍵還在於你的實話。我們就此分道揚鑣。我去寶慶府尋一個方外友人。你此番去，必定會和曾侍郎一道出來。好自爲之吧，前程大得很。」

「兄台不要走，我們一起辦吧！」

「我是閑雲野鶴，疏懶慣了，哪裏耐得那種煩劇。」陳敷笑道，「賢弟珍重，後會有期！」

說罷，飄然向寶慶方向走去。郭嵩燾也急忙收拾行裝，離開旅店，向荷葉塘出發。

陳敷走後的當天下午，湖南巡撫衙門遣人送來一封咨文。咨文轉錄兵部火票遞來的上諭：

前任丁憂侍郎曾國藩籍錄湘鄉，於湖南地方人情自必熟悉。著該撫傳旨。令其幫同辦理本省團練鄉民搜查土匪諸事務，伊必盡力，不負委任。欽此。

曾國藩想，這是不是鏡海先生密荐的結果呢？陳敷前脚走，上諭後脚便跟來了，難道眞的就如這個江右山人所預言的：後半生將要由此而入閣拜相、封侯賜爵？他緊閉房門，燃起一炷清香，盤坐在床上。在裊裊香烟中，他微閉雙眼，如同老僧入定般，塵世的一切都已遠去，靈府深處一片澄靜，思路格外地清晰。這是他十年前跟隨唐鑒讀書，從唐先生那兒學來的訣竅。曾國藩治學不主門戶，善於貫通各家學派。唐鑒有一次告訴他：「最是『靜』字工夫要緊，大程夫子是三代後聖人，亦是『靜』字功夫；王文成亦是『靜』字有功夫，所以他能不動心。若不靜，省身也不密，見理也不明，都是浮的。」

唐鑒的話指點了他。他想到老莊也主張靜，管子也主張靜，佛家也主張靜，看來這「靜」字是貫通各家學派的一根主線，正是天地間最精微的底蘊，所以各家學派都在這一點上建立自己的養性處世理論。管理國家也要這樣，人們常稱讚治國賢臣都是「每逢大事有靜氣」的人物。心靜下來，就能處理各種紛亂的軍國大事。從那時起，他每天都要靜坐一會，許多爲人處世、治學從政的體會和方法，便都在此中獲得。尤其在遇到重大問題時，他更是不輕易作出決定，總要通過幾番靜思、反覆權衡之後，才拿出一個主意來。爲讓氣氛更寧馨些，還往往點上一支香。每見到這種情況，家人有再大的事也不打擾他。

無論是爲皇上分憂，還是爲實現個人抱負，曾國藩認爲都不應該推辭這個使命。十多年來，皇恩深重，皇上的江山和他自身及整個曾氏家族都早已聯成一體。現在皇上要臣下臨危受命，他怎能辭而不受？何況早在家鄉讀書時，他便立志，此生定要做出一番大事業。進了翰林院以後，他對自己的要求是，文要有韓愈的成就，武要有李泌的功績，從而彪炳史册，留名後世。自從升授禮部侍郎以後，他便更加躊躇滿志。幾年來，除戶部外，他遍兼五部侍郎。國家大事，他件件都能應付裕如。在兼管兵部時，他遍讀歷代兵書，尤愛讀《孫子兵法》和戚繼光的《練兵實紀》、《紀效新書》。眼看時局動亂，心中隱然以救世拯民者自居。他賦詩明志：「樹德追孔孟，拯時儷諸葛。」立志做孔孟諸葛亮一流的人物。現在長毛作亂，危及兩湖，看來還有蔓延北去東下的危險，朝廷視之爲心腹之患。拯國難、紓君憂，不正當其時嗎？何況自己已與長毛結下不共戴天之仇，他恨死了這幫犯上作亂的叛逆。受命出山吧！驀然間，又下意識地搖了搖頭，他想起去年的一次朝會——

乾清宮正殿。當年的太子奕寧、現在的年輕皇上，端坐在寶座上。他登基已一年多了，改號咸豐。

在曾國藩看來，皇上好像有一股勵精圖治的勁頭。一年多來，皇上廣開言路，重用賢臣，頗思有一番作爲。比起道光帝晚年來，朝中充滿了生氣。曾國藩因爲遍兼五部，深知國事已到了難以收拾的地步。連年乾旱、蟲災，有的地方幾乎是顆粒無收，而各級官吏的徵搜敲榨則有增無已，到處是流離失所的飢民，是赤地千里的荒土。而更可怕的是，十餘年間，九卿無一人陳時政之得失，科道無一折言地方之利弊，京官辦事退縮、瑣屑，外官辦事敷衍、顢頇。上個月，曾國藩上了一折，指出當前國家有兩大病患，一是國用不足，二是兵伍不精。他建議裁汰五萬綠營兵，以裕國用。奏折送上去，倒是很快地就批下來了，但只有「知道了」三個字，弄不清楚是同意還是不同意。曾國藩只有輕輕嘆息而已。

今天的朝會上，有幾個大臣談到廣西的戰事。洪秀全扯旗造反已近一年，每當談起這件事，滿朝文武，無不變色。大家心裏都清楚，八旗駐防兵和綠營加在一起，雖然將近百萬，但根本不能打仗；派遣大學士賽尚阿爲欽差大臣去督軍，那其實也是無濟於事的。

曾國藩站在朝班中，想到國家經緯萬端，最終歸於天子一人。對年輕的咸豐帝，他充滿希望。皇上若能這樣繼續下去，端正聖躬，發憤圖强，則國事尚可爲。想到這裏，他把早已準備好的幾點意見重新清理一下，從隊伍中走出來，跪下奏道：

「臣聞美德所在，常有一近似者爲之混淆，若對此辨之不早，則流弊不可勝防。臣竊觀皇上生安之美德，約有三端，而三端之近似，亦各有流弊，不可不預防其漸，請爲我皇上陳之。」

兩班文武聽到這裏，嚇得一聲不敢吭。這曾國藩今天變成了虎膽豹心，竟然敢說皇上的不是！有人偷眼看了下皇帝。但見「正大光明」匾下那位年方二十、瘦瘦精精的天子正在聽著。或許是曾國藩的湘鄉官話不大容易聽得懂的緣故，皇帝的臉上並無任何表情。在曾國藩略爲停頓的當兒，咸豐帝微微一怔，說：「卿只管說下去。」

曾國藩慢慢地一字一句地說：「臣每觀皇上祭祀肅雍，跬步必謹，而尋常莅事，亦推求精到。此敬愼之美德也。而辨之不早，其流弊爲瑣碎。自去歲以來，廣林、福濟、麟魁、惠豐等都以小節獲咎。此風一長，則羣臣皆務小而失大。即爲廣西一事，其大者在位置人材，其次者在審度地利，又其次者在愼重軍需。而此三者，籌措中都有失誤。」

咸豐帝臉色已見不懌，爲顧全體面，也怕堵塞言路，他沒有發作，只是不大耐煩地打斷曾國藩的話：「第二端呢？」

「臣聞皇上萬幾之暇，熙情典籍，游藝之末，亦法前賢。此好古之美德也。而辨之不細，其流弊徒尚文飾，亦不可不預防。去歲廣開言路，然羣臣所奏，大抵以『知道了』三字了之。間有特被獎許者，手詔以褒倭仁，未幾而疏之以萬里之外；優旨以答蘇廷魁，未幾而斥爲亂道之流。是鮮察言之實意，徒飾納諫之虛文。」

咸豐帝見曾國藩先是指責他處理廣西軍務失措，現又說他納諫是虛，不覺大爲惱火，本想不讓他說完，但又想知道下文，於是帶著怒氣地指示：「曾國藩奏語宜短，快說下去！」

曾國藩聽到這句話，頓時感到脚腿發顫，虛汗直流。「是！」他鎮靜一下，決心一吐爲快：「臣又聞皇上娛神淡遠，恭己自怡。此廣大之美德。然辨之不精，亦恐厭薄恒俗而長驕矜之氣，猶不可不防……」

「狂悖！放肆！」咸豐帝再也不能忍受了。一年來，臣工們也曾上過不少指責時弊，規勸皇上的奏疏，但語氣都極爲委婉溫和。對這樣的奏疏，咸豐帝看得下。盡管文字用得婉轉，但用意他還是明白的，他喜歡臣下都用這樣的語言奏對。他沒有想到，今天曾國藩在衆多文武面前，居然用「失誤」、「虛文」、「驕矜」這樣尖刻的語氣來指責，他感到自己至高無上的尊嚴受到挫傷，怒火中燒。曾國藩分明是瞧自己只是剛過弱冠的年輕人，才敢於如此肆無忌憚。今日如不給他點顏色看看，怎能建立起自己的威望？他厲聲喝道：「曾國藩所奏純屬想像之詞，並無實在內容。如此以激辭上奏而沽忠直之名，豈不虛僞？豈不驕矜？該當何罪？」

兩班文武見咸豐帝盛怒，莫不戰慄異常。慌得大學士祈雋藻忙出班叩首奏道：「曾國藩所奏狂悖，罪該萬死。但姑念他敢於冒死直諫者，原視皇上爲堯舜之君。自古君聖臣直，懇求皇上寬恕他這一次。」

左都御史季芝昌也出班擔保：「曾國藩系臣門生，生性愚戇，然心則最直、最忠。倘蒙皇上不治其罪，今後自當謹慎。」

咸豐帝看到祈雋藻、季芝昌都來說情，又思曾國藩之言本出於忠悃，今日治罪於他，勢必招來朝野議論，反爲不美。於是趁他們說情的當兒，把手一揮：「下去！」

曾國藩不敢再說什麼，忙磕頭謝恩，退了下來。他不知那天是怎樣回到家裏的。他在床上躺了一整天，想到即將大禍臨頭，心中不免有點懊惱。原以爲今上會有所作爲，誰知却這樣的器量狹小！他設想馬上會來的處分：重則削職爲民，輕則降級外調。他吩咐歐陽夫人收拾金銀細軟；又把紀澤叫到跟前，告戒他好生念書，日後只做一個明理曉事的君子，千萬不要作大官。紀澤似懂非懂地點了點頭。

曾國藩著實緊張了幾天。後來聽說咸豐帝氣消了，只批評他「迂腐欠通」，同時也肯定他「意尚可取」，沒有處分。一場驚恐雖已過去，但新天子的聖德，曾國藩也算體會到了。

十多年的官場生涯，使曾國藩深深懂得，當今爲官，沒有皇上的信任、滿蒙親貴的支持，要辦大事是不可能的。現在是辦團練，性質更加不同。團練若不能打仗，則不成事；不成事，則皇上看不起。若能打仗，必然會成爲一支實際上的軍隊。滿人對握有軍權的漢人，一向猜忌甚深。這支軍隊將會招致多少嫌猜！弄不好，非徒無功，還有不測之禍。再說，湖南的吏治也太腐敗了，在十八省中可謂首屈一指。從去年到今年上半年，皇上多次痛責湖南的吏治。原巡撫陸費泉、布政使萬貢珍、辰永沅靖道呂恩湛，都因貪污營私舞弊、辦事顢頇等原因交部嚴議，或撤職查辦。現在巡撫、兩司雖說都換了新人，但多年來的腐敗習氣，豈是換掉幾個人就會改變的？還有一個原因隱埋在他的心底最深處，不能有絲毫流露。過去在京中做官，從奏章、塘報，以及親友的信函中，曾國藩知道國勢已敗壞。這次出京南下，從直隸到山東，從蘇北到淮南，所到之處皆哀鴻遍野、餓殍盈路，滿目瘡痍，慘不忍睹。各種事態都使他感到國家正處在人心浮動、危機四伏的時刻。曾國藩多次在心裏嘆息：沒有想到國勢竟壞到這般地步！被太平軍俘虜的那半天，他親眼看到長毛軍容整齊，戰鬥力强，軍中亦不乏人才。尤其是那晚要他謄抄的告示，以民族大義鼓動漢人起來光復國土一節，更是甚合漢人之心。看來洪楊非等閑之輩。莫非天心眞的已厭倦愛新覺羅氏，要改朝換代了嗎？自己受皇恩深重，理應匡扶皇室。但天心既厭，人力豈能改變得了！大廈將傾，一木難支，皇上的江山，能保得住嗎？

想到這些，曾國藩深深地嘆了一口氣：「不料欲效武鄉、鄴侯竟不能！」他決定不受命，至少暫不受命。曾國藩不再想了。他從床上起來，攤開紙，要給皇上寫一份「懇請在籍終制折」。

經過三、四天的反覆修改、潤色、謄抄，奏折已出來了。正擬派人送往長沙，呈請張亮基代奏，荊七進來稟報：「湘陰郭翰林來訪？」

又是幾年沒見面了，曾國藩與郭嵩燾兩位至交老友相見後分外親熱。郭嵩燾以晚輩身分，向停厝在腰裏新屋的江氏老太太靈柩跪拜行禮，又拜謁老太爺曾麟書，並與曾國藩的四個弟弟一一見面。

郭嵩燾對曾國藩說：「我來荷葉塘，一來向伯母大人致哀，二來向仁兄恭賀。」

曾國藩驚道：「我有何事可恭賀？」

嵩燾笑道：「聽說仁兄即將赴省垣高就，總辦全省團練事務。三湘士人，識與不識，莫不欣欣然，咸謂湖南之事可爲，期望仁兄慨然展郭、李之大才，一施素日澄清天下之抱負，撫境安民，撥亂反正。此等大好事，嵩燾能不恭賀？」

曾國藩聽了這幾句話，心中興奮，臉上卻毫無表情，說：「筠仙謬聽傳聞。張中丞雖來信相邀，皇上近日也有諭旨，但國藩身已不祥，何能擔此重任？張中丞那裏早有信婉謝，皇上諭旨，我亦不能接受。」

說著，從櫃子裏拿出兩封信函來遞給郭嵩燾。郭嵩燾看時，一封是轉錄兵部火票遞來的上諭，一封是曾國藩剛謄正的奏折。折子的第一句寫著：「臣懇請在籍終制，不能受命，仰祈聖鑒事。」郭嵩燾不再看下去，扔在一邊，嘆息道：「哎！可惜張中丞、左季高、江岷樵都看錯了人。我郭嵩燾這二十年來自認與你最相知，看來也靠不住。『猶當下同郭與李，手提兩京還天子』，原來只是文人的詩句，並不是志士的心願。」

曾國藩是個最要强的人，郭嵩燾這幾句挖苦話，說得他臉一陣陣發熱，極不好意思。

「筠仙，你也不理解我？我是熱孝在身啦！哪有母死未葬，就出山辦事的道理？」

郭嵩燾並不理睬他的表白，繼續以自言自語的口氣說：「只有一人沒有說錯。」

「誰？」曾國藩脫口而出。

「湖南水陸提督鮑起豹。他說，曾國藩乃一介文弱書生，他有何本事辦團練，別看他平日氣壯如牛，到頭來一定膽小如鼠。」

曾國藩噗哧一聲笑了起來。他知道郭嵩燾在有意激將，反而臉不熱了，平靜地笑道：「好個乖巧的郭老大，我又不是周公瑾，幾句話就可以激得了的。」

郭嵩燾正色道：「誰要激你？我只是爲你可惜。你辜負了桑梓的厚望，更可惜的是，你使恭王、肅學士、鏡海先生得了個不知人的惡名。」

曾國藩心裏一驚，鏡海先生向皇上密荐事，已從他的來信中得知，至於恭王、肅順的保荐，却一點也不知。

「筠仙，此話何講？」

「你看看這封信吧！」

郭嵩燾從袖口裏掏出周壽昌給左宗棠的那封信來。曾國藩忙一手接過，細細地看著。

周壽昌的信中講，自唐鑒密荐後，皇上一直在考慮起用曾國藩，但未最後拿定主意。爲此事，皇上分別召見恭王奕訢和內閣學士肅順。二人都竭力主張起用漢人來平洪楊。恭王說曾國藩是先帝破格超擢的年輕有爲人才，是林則徐、陶澍一類的人物，要皇上實心依畀，予以重用。肅順更明確提出，當前兩湖動亂，請飭曾國藩在原籍主辦團練，效嘉慶爺平川楚白蓮教的成法，給曾國藩方便行事的權利。如此，則洪楊可早日剪滅，國家可早得平安。皇上欣然接受，並誇恭王、肅順見識卓越，老成謀國。

曾國藩看完信，心情異常激動。自從陳敷來過以後，曾府表面上雖仍處大喪之中，內裏則充滿著融融喜氣。國荃請了附近十多個風水先生去看那塊凹地，無人不稱讚這是塊絕好的地，因而更加相信陳敷的話。加之又來了上諭，兄弟們都鼓勵大哥晋省辦團練。國華說：「李賀說得好：『請君暫上凌烟閣，若個書生萬戶侯？』五等之爵從來靠沙場獵取，幾曾見過以文章封侯的？」

國荃說：「嘉慶年間，楊遇春不過是額勒登保手下一員武將，後竟拜陝甘總督，封一等侯。道光年間，馬濟勝一勇之夫而封二等男爵。靠的是什麼，還不靠平叛的軍功？」

弟弟們說的都有道理，但曾國藩考慮得更深。陳敷的預言給他帶來激動，增加了出山的信心。不過，預言終歸是預言，並不就是現實，現實却有重重困難。現在，從周壽昌的信上，曾國藩却看到了希望。他與恭王、肅順都有過多次接觸。恭王才思敏捷，器識閎達，是皇族中最有頭腦的人物。肅順是鄭親王烏蘭泰爾的第六子，明練剛決，敢作敢爲，不但是滿族中數一數二的拔尖角色，也是合朝文武中少有人比得上的幹才。上半年在京城時，曾國藩就知道皇上將會重用肅順，依靠他來整飭朝綱，力矯弊端。肅順的入閣拜相，只是明後兩年的事了。有恭王、肅順的信任，有皇上爽快地接受，還怕朝中無奥援嗎？這個最大的顧慮一消除，曾國藩真的動心了。但他並不明白地表示出來，只是以一種遺憾的神情對郭嵩燾說：「這麼大的事情，荇農居然不直接給我來信，他是還在記我的仇啊！」

周壽昌字荇農，又字應甫，長沙人，道光二十四年中順天鄉試南元，二十五年中進士入翰林院。周壽昌結交甚廣，官位雖不過一翰林院侍講學士，然交遊遍及王公大臣，是湖南京官中的百事通。出自他的消息，十之八九是可靠的。但周壽昌又是個不拘小節的人。有次在妓院，與妓女飲酒賦詩彈唱，差點被人告發。曾國藩以前輩身分聲色俱厲地將他責罵一通。周壽昌嫌曾國藩太拘謹，曾國藩也怕以後受周壽昌的牽累。從那以後，二人往來就不多了。周壽昌通報出這個絕密消息，使曾國藩大爲感激。

「我那次說他，重是重了點，但完全是爲他好。」

「荇農還是領了你的情的，從那以後收斂多了。他把這個消息告訴季高，其實也就是告訴你。他不直接給你來信，是怕你還在記恨他哩！」

「我要寫封信去感謝他。我這人，有時對人臉色不好看，是有拒人於千里之外的樣子。」

「滌生，你看看，如果你堅不受命，恭王和肅學士會怎麼想呢？」

曾國藩低頭不語，良久，輕輕地說：「筠仙，我跟你說句實話，我從未跟張中丞、潘藩台他們打過交道，不知道彼此好不好相處。你也知道，湖南的情形是積重難返。我這人性子急，今後與湖南官場亦難相得。」

「要說張中丞，此人最爲愛才，爲人又極坦誠。他不受苞苴之事，你應該知道。」

「張中丞之淸廉，的確古今少有。」

「『當文官的不愛財，再平庸亦是良吏；當武官的不怕死，再粗魯亦是好將。』這話是你說的。憑此一端，即知張中丞的品性。滌生，你大概不知季高是怎麼到的長沙吧？」

曾國藩搖搖頭。

「這是個令人捧腹的故事。」

郭嵩燾將這次在長沙聽到的計賺左宗棠的事，繪聲繪色地講了一通，果然令曾國藩大笑不已，說：「季高此事，今後眞要給他刻上墓志銘，讓後世子孫都知道他左三爹爹是如何受騙當師爺的。」

「用的手法雖是騙，但心却至誠可感。」

曾國藩點頭贊同。

「潘藩台爲人也忠厚本分，季高、岷樵都是多年老朋友了，這個顧慮不必要。至於湖南的吏治，說來的確腐敗。但是，滌生兄，眼下中國十八省，哪個省的吏治又不腐敗？天下烏鴉一般黑。除非不做事則已，既要做事，就無可選擇之地。東坡問賈太傅：『然則是天下無堯舜，終不可有所為邪？』嵩燾借這句話問仁兄：『然則是天下無樂土，終不可有所為邪？』」

曾國藩不覺笑起來，指著郭嵩燾說：「唐宋八大家，就只有你讀得活！」

「滌生，你莫跟我兜圈子了，什麼熱孝在身，什麼湖南吏治腐敗，都不是你不出山的主要原因，我知道你的顧慮在哪裏。」

「在哪裏？」

「今世知你者莫過於我。」郭嵩燾狡黠地望了曾國藩一眼，「你是擔心長毛不好對付，怕萬一不能成功，半世英名毀於一旦。」

「哈哈哈！」曾國藩大笑起來，既不首肯，也不否定。

「滌生，我跟你打個賭：莫看眼前長毛勢大，嵩燾料死他們不能成事。」郭嵩燾伸出一只手來，放到曾國藩面前，做出一個擊掌的樣子。國藩仍坐著不動，不露聲色地問：「何以見得？」

郭嵩燾將他這些天來，苦苦思索而得出的認識搬了出來：「長毛起事有一個致命的弱點。其所依靠者拜上帝會，所崇拜者天父天兄；信耶穌異教，迷《新約》邪書；所過之處，毀孔聖牌位，焚士子學宮，與我中華數千年文明為敵，已激起天怒人怨。凡我孔孟之徒、斯文之輩，莫不切齒痛恨。就連鄉村愚民、販夫走卒，亦不能容其砸菩薩神靈、關帝岳王像之暴行。滌生，你出山之後，打起捍衞名教的旗幟，必定得天下民心。天下人都歸順你的勤王之師，長毛還能長久嗎？」

郭嵩燾這番痛快陳辭，使曾國藩心智大開；洪楊以民族大義爭人心，我則以衞道爭人心！郭嵩燾見曾國藩眼中已射出興奮的光芒，知這幾句話已完全打動了他，於是益發高談闊論：「滌生兄，你說吏治腐敗，國事日非，不是辦事之時。仁兄熟知本朝掌故，難道忘記了當年聖祖爺平三藩之亂的壯舉嗎？三藩作亂時，聖祖爺親政不久。朝臣有的說，國家根基尚未大固，吳三桂等人勢力很大，不如用撫保險。聖祖爺不爲所動，堅決削藩。結果不但平息了三藩之亂，且借平亂之威刷新社稷，開創康乾盛世，使我大淸江山固若金湯。滄海橫流，更能顯現出英雄的本色。仁兄一向仰慕武鄉侯、鄴侯。武鄉受聘，正奸臣竊命；鄴侯出山，當天下亂極。今日國勢，如同漢末唐衰之時，焉知不再出武鄉、鄴侯？」

曾國藩三角眼中的光芒越來越亮，連聲叫道：「好！賢弟說得好極了！」

「滌生兄，你素抱澄淸天下之志，今日正可一展鴻抱。古人云：『雖有智慧，不如乘勢；雖有鎡基，不如待時。』又云：『難得而易失者時也，時至而不旋踵者機也。故聖人常順時而動，智者必因機以發。』今時機已到，氣運已來，上自皇上親王，下至士民友朋，莫不矚目於你。你若踐運不撫，臨機不發，不但辜負了自己的平生志向，也使皇上心冷、友朋失望。滌生兄，你還猶豫什麼呢？」

「前人著書，說蘇秦、張儀口似懸河，陸賈、酈生舌如利劍，適才聽賢弟一番話，使國藩如撥雲霧而睹青天，任鐵石心腸亦不能不動心，今日方知蘇、張、陸、酈之不假！」曾國藩嘆道。

嵩燾高興地說：「仁兄出山辦團練，軍餉是第一大事。前向長毛圍城，藩庫已空，料張中丞一時不易籌措，嵩燾即刻回湘陰，勸募二十萬餉銀，助兄一臂之力。」

曾國藩拊嵩燾背，滿懷深情地說：「難得賢弟一腔熱血。若朝野文武都像賢弟這樣忠於皇上，憂國憂民，哪來今日的洪楊作亂！就看在賢弟分上，也不由國藩不出。只是，」曾國藩說到這裏，停了一下。他想到自己一貫打著終制不出的旗號，現在收起這個旗號，也得有個轉圜，「國藩今日乃帶孝之身，老母並未安葬妥貼，怎忍離家出山，且亦將招致士林指責！」

郭嵩燾心裏冷笑不止，說：「大丈夫辦事，豈可過於拘泥！況且墨絰從戎，古有明訓。爲保桑梓而出，爲保孔孟之道而出，正大光明，何況又有皇上煌煌明諭，仁兄不必多慮。若你尚有不便之處，可由伯父出面，催促出山，家事付與諸弟。這樣，上奉君命，下秉父訓，名正言順，誰敢再有煩言？且我聽老九說，前幾天有一江右山人，爲伯母尋了一個極絕極妙之佳城，將保祐貴府大富大貴，又斷定仁兄此番出山，乃步郭汾陽、裴相國之足迹，日後必定封侯拜相。看來事非偶然，天時、地利、人和一應俱備。仁兄萬勿再固小節而失大義，徒留千古遺恨！」

翌日，郭嵩燾將昨夜的談話稟告曾麟書。麟書是湘鄉縣的掛名團總，這幾天又聽說了陳敷的預言，俟郭嵩燾說完，立即滿口答應。遂面諭國藩移孝作忠，爲朝廷效力。恰好這時，張亮基又來一信，報告武昌失守的消息，再一次懇切敦請國藩出山晋省。於是，曾國藩將家事妥爲安排，與四個弟弟分別各作一次長談。六弟、九弟、滿弟都要求大哥這次就帶他們出去，曾國藩考慮再三，決定暫帶國葆一人先去長沙，叮囑國華、國荃且安心在家，不要輕舉妄動，視局勢的發展再定進止。然後，他來到腰裏新屋，在母親靈柩前焚燒已經謄抄尚未發出的「懇請在籍終制折」，並輕輕地對著母親遺像說：「兒子不能盡人子之孝，廬墓三年了，爲酬君恩，爲興家族，已決定墨絰出山！」

國家預行編目

曾國藩血祭／唐浩明著.--初版.--臺北縣中和市：
漢湘文化, 1993〔民 82〕
面；　公分.--（歷史經典；1-3）
ISBN　957-8753-01-2　（平裝）
857.7　　　82002749

歷史經典一

曾國藩血祭・卷一（全書三卷——血祭、野焚、黑雨）

發 行 人／胡明威
作　　者／唐浩明
執行編輯／巫曉維
企劃印務／范揚松
行政秘書／余綺華　高伊姿
出 版 者／漢湘文化事業股份有限公司
台北縣中和市中山路二段三五〇號五樓
電話（02）22452239　傳真（02）22459154
E-mail:hanshian@mail.book4u.com.tw
郵撥帳號／1697754-9
户　　名／漢湘文化事業股份有限公司
電腦排版／陽明電腦排版公司
內文製版／俊昇印製事業股份有限公司
內文印刷／全力印刷有限公司
裝　　訂／吉翔裝訂印刷有限公司
電話（02）2962-7511
登 記 證／文聞・蔡兆誠・黃福雄・王玉楚律師
1993 年 4 月初版一刷　2001 年 8 月初版六刷
單本定價 160 元　套裝九本特價 1,250 元
本書透過中國湘普信息公司獲得國際中文繁體字版權

線上總代理◆華文網股份有限公司
網　　址◆http://www.book4u.com.tw
〔紙本書平台〕華文網網路書店
〔電子書平台〕Online Books 電子書中心　華文電子書中心
香港總經銷◆漢鴻圖書有限公司
香港九龍塘觀開源道 55 號開聯工業中心 A 座 1226
電話：002-852-2343-8466　傳真：002-852-2343-8440

總經銷
旭昇圖書有限公司
地址：台北縣中和市中山路二段 352 號 2F
電話：(02) 2245-1480　傳真 (02) 2245-1479

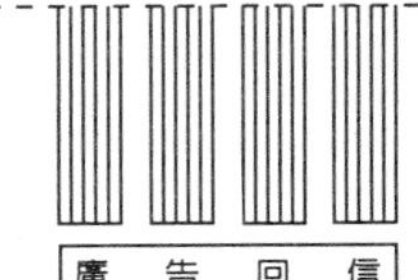

廣　告　回　信
北區郵政管理局登記證 北　台　字6571號
免　貼　郵　票

漢湘文化事業股份有限公司

地址：台北縣中和市中山路二段350號5樓

電話：（02）2245-2239

傳真：（02）2245-9154

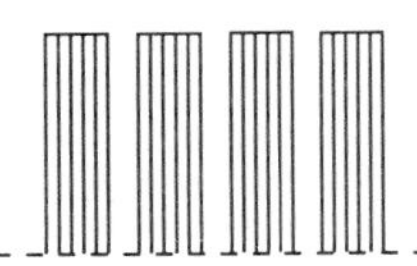

姓名：＿＿＿＿＿＿

性別：＿＿男＿＿女

生日：＿＿年＿＿月＿＿日

電話：（　）＿＿＿＿＿＿

傳真：（　）＿＿＿＿＿＿

地址：＿＿＿＿＿＿＿＿＿＿＿＿

請沿虛線剪下裝訂，謝謝！

讀者服務卡

謝謝您購買這本書。
爲加強對讀者的服務，請您詳細塡寫本卡各欄，寄回給我們（免貼郵票），您即可收到本公司的出版訊息。

您購買的書名/ ______________________

購買地點/ ____________ 縣市 ____________ 書店

教育程度/□高中以下（含高中） □大專 □大學 □研究所（含以上）

職　業/ ____________ 職位別/ ____________

您目前迫切需要哪方面的知識？ ____________

您覺得本書封面及內文美工設計/

□很好 □好 □差 □很差

您對書籍的寫作是否有興趣？

□沒有 □有（我們會盡快與您聯絡）

100字書評（請寫下您閱讀本書的心得及感想）

其他建議（請列出本書的錯別字，當另外致贈精美禮品）：

請沿虛線剪下後對折裝訂寄回，謝謝！

閱讀新視界・生活新主張

閱讀新視界・生活新主張

閱讀新視界・生活新主張

漢湘文化